de Bibliotheek
Breda Centrum

D0783717

Toine

Afblijven

Carry Slee

Toine

Carry Slee schreef ook over Debby en Fleur uit *Afblijven* twee gloednieuwe boeken. Kijk voor meer informatie over verkoopadressen op www.carryslee.nl.

Afblijven werd bekroond door de Nederlandse Kinderjury en de Jonge Jury.

De film *Afblijven* is gebaseerd op het gelijknamige, bekroonde boek van Carry Slee. Het scenario en de regie is in handen van Maria Peters.

Kijk voor alle boekuitgaven, soundtrack-cd (met o.a. Brainpower), singles *Vlinders* en *Afblijven*, videoclips, ringtones, mobile game en merchandise op www.afblijvendefilm.nl.

Dit is een exclusieve uitgave van Scholtens BV.

www.carryslee.nl
www.afblijvendefilm.nl

Omslagontwerp Locust / Michael Randeraat
Foto omslag Govert de Roos
Model Jim Bakkum
Ontwerp Carry Slee letterlogo Marlies Visser
Zetwerk ZetSpiegel, Best
ISBN 90 499 2179 5
NUR 284

Carry Slee is een imprint van Foreign Media Books BV,
onderdeel van Foreign Media Group

1

Toine doet de voordeur open. Hij wil de woonkamer ingaan, maar in de gang blijft hij staan.

'Mens, hou toch eens op!' hoort hij zijn vader schreeuwen.

'Weet je wie op moet houden...!?' schreeuwt zijn moeder. 'Jij!'

Toine zucht. De laatste tijd hebben zijn ouders vaak ruzie. Robert, zijn één jaar jongere broer, steekt zijn hoofd om de hoek van het trapgat. 'Gezellig hier, hè?'

Toine loopt naar boven. Hij hoort zijn zusje Birgit snikken. Hij gaat haar kamer in en slaat een arm om haar heen. 'Het is zo over, maak je maar niet druk.'

'Ja ja,' lacht Robert. 'Zo over. Ze zijn al minstens een uur bezig. Hier heb ik dus echt geen zin in. Ik barst van de honger. Ik stel voor dat we naar MacDonalds gaan om een Big Mac te scoren.'

'Ja!' Birgit is meteen blij. 'Een Big Mac!'

'Heb je geld dan?' Toine kijkt Robert aan.

'Dat gaan wíj niet betalen,' zegt Robert. 'Risico van het vak, dan moeten ze maar geen ruzie maken. We halen het uit de huishoudpot.'

'Dat kan toch niet zomaar,' zegt Toine.

'Natuurlijk wel,' zegt Robert. 'Ik doe er wel een briefje bij en als we commentaar krijgen, betaal ik het zelf wel.'

Ze kijken verschrikt naar elkaar. Het gaat er wel heel erg hard aan toe beneden.

'Doen we het?' vraagt Robert.

Toine ziet het angstige gezicht van zijn zusje. Hij vindt het zielig voor haar. Ze is nog maar acht jaar oud.

'Ja,' zegt hij. 'Ik ben het er wel mee eens. We zullen toch moeten eten.' Hij heeft zelf ook geen zin om midden in dat geschreeuw te zitten.

'Ik neem nooit verkering,' zegt Robert. 'Je ziet wat ervan komt.'

'Je hebt gelijk,' zegt Toine. Zijn verkering is al een tijdje uit. Gelukkig wel, want hij was niet echt verliefd. Volgens Pierre, zijn beste vriend, heeft hij zich laten versieren. 'Je bent erin getrapt,' zei Pierre. Eerst werd Toine kwaad toen hij dat zei, maar achteraf gezien had-ie wel gelijk.

Hij is blij dat het uit is. Eigenlijk heeft hij helemaal geen tijd voor verkering. Hij is altijd met muziek bezig en als hij even niet hoeft te drummen, dan werkt hij in de kantine van de tennisvereniging. En hij doet ook nog aan basketbal. Er is wel een meisje dat hij leuk vindt, maar daar wil hij nu liever niet aan denken.

Met z'n drietjes lopen ze de trap af.

Robert schrijft beneden een briefje. 'Wegens geluidsoverlast zijn we noodgedwongen uitgeweken naar MacDonalds.'

'Kom mee.' Toine pakt geld uit de huishoudpot.

'Nou, die zijn voorlopig nog niet uitgeruzied,' zegt Robert.

'Ach man!' horen ze hun moeder schreeuwen. 'Je liegt!'

'Nee, dat denk ik ook niet,' zucht Toine.

'Een superzet van ons,' zegt Toine als ze na MacDonalds weer naar huis fietsen. Ze hebben helemaal niet meer aan de ruzie gedacht. Birgit ziet er al veel gelukkiger uit. Als ze voor het stoplicht staan, gaat er een rilling door Toine heen. Daar heb je haar, denkt hij. Hij kijkt naar een blond meisje dat aan komt fietsen.

'Ken je haar?' vraagt Robert.

'Dat is Fleur,' zegt Toine. 'Ze zit bij me op school.'

'Leuke *chicka*.' Robert kijkt Fleur na. 'Ik denk dat ik je toch maar weer eens van school kom halen.' Hij stoot zijn broer aan. 'Of vind jij haar leuk?'

'Ik wil helemaal geen verkering,' zegt Toine.

'Dat vraag ik niet,' zegt Robert. 'Ik vroeg of je haar leuk vind.'

'Nee,' zegt Toine. Hij voelt dat-ie een kleur krijgt. Hij vindt Fleur eigenlijk wel leuk, maar dat gaat zijn broer niks aan. Als-ie dat vertelt, krijgt hij alleen maar gezeur.

'Als jij niks van haar wil, dan ga ik achter haar aan,' zegt Robert.

Toine schrikt. Alleen het idee al dat Robert met Fleur zou gaan. Dat wil hij niet.

'Haha, je wordt helemaal rood,' zegt Birgit, die lachend naast hem fietst.

'Wat nou?' zegt Toine geïrriteerd.

'Je hebt gelijk, zusje,' lacht Robert. 'Hij vindt haar dus wél leuk.' Hij fietst door.

Shit, denkt Toine. Waarom moest hij nou weer rood worden?

De rest van de weg terug praat Birgit alleen maar over Fleur. 'Je bent echt verliefd op haar, hè?' zegt ze. 'Zeg het maar eerlijk. Het is heus niet gek. Ze lijkt mij ook leuk. Is ze ook op jou?'

'Weet ik veel,' zegt Toine. 'Ik weet helemaal niks van haar, alleen dat ze bij mij op school zit.'

'En dat je met haar wil zoenen,' zegt Birgit grinnikend. 'Ja, dat wil je... Hahaha...'

'Jij je zin,' zegt Toine. 'Ik wil met haar zoenen, nou goed? Is het dan nu afgelopen?' Toine zucht geërgerd. Heeft hij een keer geen last van Pierre, dan begint zijn zusje erover.

Pierre merkte het meteen toen Toine Fleur wel leuk vond. Hij zag het toen ze langs liep. Dat joch ziet alles. Toine kan nooit iets voor hem verborgen houden.

'Niet aan beginnen,' had Pierre gezegd. 'Meiden zijn niks aan. Alleen maar gedoe. Ga een keer met haar zoenen, dan ben je er vanaf.'

Maar dat is niks voor Toine. Ik zet haar wel uit mijn hoofd, nam hij zich voor. Hij dacht dat het wel gelukt was. Nou, niet dus. Hij zag haar een kwartier geleden voorbij fietsen en ze zit nog steeds in zijn hoofd.

Hij denkt aan zijn broer. Dat moet hij niet hebben, dat Robert achter Fleur aan gaat. Zou hij dan stiekem toch verliefd op haar zijn?

'De ruzie is afgelopen,' zegt Robert als ze de straat in fietsen. 'Pa is weg, lekker rustig.' Toine ziet het ook. De zwarte Volvo staat niet meer voor de deur.

Als ze binnenkomen, staat hun moeder in de keuken. 'Heb je ons briefje nog gevonden?' vraagt Robert.

'Ja,' zegt ze afwezig. 'Jullie hebben gelijk dat jullie naar Mac-Donalds zijn gegaan.'

Toine kijkt haar aan. Zijn moeder ziet er nog gespannen uit.

'Ik had een Big Mac,' zegt Birgit.

'Zo,' zegt moeder. Ze is er duidelijk niet bij met haar gedachten. Toine is ongerust. Wat is er met haar?
'Heb je pa het huis uit getrapt?' vraagt Robert lachend.
Birgit schrikt. 'Dat vind ik zielig voor papa.'
Toine ergert zich aan zijn broer. 'Wat zijn we weer lekker bot.'
'Papa heeft een vergadering,' antwoordt hun moeder. 'Er is helemaal niks aan de hand. We hadden gewoon een beetje ruzie. Alle ouders hebben weleens ruzie.'
'Nou, een beetje?' zegt Robert. 'Het huis stond te schudden.'
Toine loopt naar boven. Hij heeft de band beloofd een advertentie voor de schoolkrant op te stellen. Ze zoeken een zangeres. Nu zingt John nog, maar die is er niet blij mee. Zijn stem is oké, maar zingen is niet echt zijn ding en dat hoor je. Hij zit liever achter zijn synthesizer. Ze kunnen wel een andere zanger krijgen, maar Toine wil liever een zangeres. Hij gelooft dat ze dan eerder zullen doorbreken. Hij moet er wel om lachen. Hij zit nog niet eens zo lang in de schoolband, maar ze noemen hem nu al hun manager.
Hij kijkt naar de kamerdeur van Robert. Je kunt wel merken dat-ie ook boven is. Hij is met iemand aan het bellen, zijn stem schalt door het hele huis. Wat heeft-ie toch een volume.
'Wat zeg je nou?' hoort hij Robert brullen. 'Is dat een grap?'
Er is daar iets niet helemaal goed, denkt Toine als hij Robert hoort. Zijn broer schrikt niet zo gauw van iets.
'Shit!' roept Robert. 'Ik bel je nog wel.'
'Wie was dat?' vraagt Toine als hij Roberts kamer binnenloopt.
'Dave.' Robert kijkt geschokt voor zich uit.
'Zo te horen was het geen vrolijk telefoontje,' zegt Toine.
'Nee, dat kun je wel zeggen. Het ging over papa.'
'Over papa?' vraagt Toine. 'Wat moet Dave nou met papa?'
Robert doet de deur van zijn kamer dicht. 'Ik vertelde dat het hier weer eens kermis was tussen die twee. "Hoe kunnen je ouders nou ruzie hebben," zei Dave. "Je vader is niet eens thuis. Ik zag hem net hier om de hoek."'
'Dat kan,' zegt Toine. 'Pa is naar een vergadering.'
'Ja, tuurlijk,' zegt Robert. 'Een vergadering met twee personen zeker.'

'Wat bedoel je?' Toine schrikt.

'Pap is bij Dave om de hoek,' zegt Robert. 'Bij een vrouw. Dave liet Lady uit en toen zag hij hem daar naar binnen gaan. Het schijnt dat hij hem er al eerder heeft gezien.'

'Wat?' Toines mond valt open. Zijn vader bij een andere vrouw? 'Dat kan niet,' zegt hij. 'Dave lult maar wat uit zijn nek, toch?' Hij kijkt zijn broer aan.

'Shit!' Dat is alles wat Robert zegt.

Mijn vader bij een andere vrouw? Als dat zo is dan... Toine gaat naar zijn kamer. Hij wil alleen zijn. Hij voelt zich machteloos. En het idee dat zijn moeder van niks weet, wat verschrikkelijk! Zijn moeder wordt bedrogen. Hij ziet zulke dingen weleens in films, maar nu is het zijn eigen vader die het flikt.

Toine heeft zin om het hele huis in elkaar te trappen. Het zat hem al niet lekker dat zijn ouders de laatste tijd zo vaak ruzie hadden, maar het is nog veel erger dan hij dacht.

Hij denkt aan Pierre. Vorig jaar zijn Pierres ouders gescheiden. Pierre was er kapot van. Nu woont hij de helft van de week bij zijn vader en de andere helft bij zijn moeder. Hij loopt altijd met zijn spullen te sjouwen. Hoe vaak gebeurt het niet dat ze bij zijn vader zijn en dat Pierre een nummer wil laten horen, maar dan blijkt die cd bij zijn moeder te liggen.

In het begin zat zijn vriend behoorlijk in een dip. Wat ben ik blij dat mijn ouders gewoon bij elkaar zijn, dacht Toine toen vaak. Maar hoe lang zal dat nog duren? Misschien is mijn vader wel echt verliefd op die vrouw en vertrekt hij. Of zijn moeder komt erachter en trapt hem het huis uit.

'Heb je nog iets te wassen?' Toines moeder komt zijn kamer binnen. 'Ik ga nu de machine aanzetten.'

'Eh... nee, of toch wel.' Toine graait een paar T-shirts van de grond.

'Dank je wel.' Zijn moeder loopt weer weg.

'Mam...' zegt Toine.

'Wat is er?' Zijn moeder draait zich om.

Nee, ik zeg het niet, denkt hij. 'Eh, niks. Er is niks, sorry.'

'Je maakt je toch niet te veel zorgen, hè?' Zijn moeder kijkt hem aan. 'Het komt echt wel goed tussen papa en mij. We hebben het gewoon even moeilijk, meer niet.'

Toine knikt. Zijn moeder moest eens weten. Als ze weg is, geeft hij een schop tegen zijn bureau.

Die rotadvertentie moet-ie ook nog maken. Alsof zijn hoofd daar nu naar staat. Maar het moet gebeuren. Ze hebben eigenlijk nog geluk dat het mag, want officieel is de deadline al verstreken.

Hij gaat achter zijn pc zitten, maar er komt niks uit zijn vingers. Hij kan zijn gedachten er niet bij houden. Hij moet constant aan zijn vader denken. Zou hij nog steeds bij die vrouw zijn? Hij is in ieder geval nog niet thuis.

Hij is zo in gedachten verzonken dat hij schrikt van de ringtone van zijn mobiel.

'Hi!' zegt Pierre. 'Je zou de advertentie doormailen, maar ik heb nog niks ontvangen.'

'Nou, jammer dan,' zegt Toine.

'Wat is er met jou?' vraagt Pierre.

'Ik voel me klote.' Toine vertelt zijn vriend wat hij van Robert heeft gehoord.

'En dat geloof jij?' zegt Pierre. 'Je weet wie het zegt, hè? Die Dave is een superfantast, man. Ik heb die gast een paar keer gezien, maar ik weet meer dan genoeg.'

'Dus jij denkt dat het niet waar is?'

'Ik weet wel zeker dat het onzin is,' zegt Pierre. 'Je vader ging dus bij het huis van een vrouw naar binnen? Mag dat soms niet? Nee, dan heeft hij natuurlijk meteen een affaire. Dat joch is een wandelend roddelblad, man.'

'Toch is het raar,' zegt Toine. 'Wat moet hij daar? Hij heeft zogenaamd een vergadering.'

'Denk nou even na,' zegt Pierre. 'Nooit van een collega gehoord? Dat lijkt me echt veel logischer, vind je zelf ook niet? Die twee moeten nog even iets doorpraten, heel normaal. Ja, ik weet het wel: jij ziet van alles voor je, maar jouw pa zit daar keurig achter zijn laptop.'

'Denk je dat echt?' vraagt Toine.

'Ja,' zegt Pierre. 'Wat een verhaal. Dave moet echt bij een roddelblad gaan solliciteren. Ik snap niet dat jij daar intrapt.'

'Ze hadden anders wel een fikse ruzie,' zegt Toine.

'Je hoeft heus niet te denken dat ze meteen gaan scheiden door één ruzietje. Daar is echt wel meer voor nodig.'

Toine voelt zich opgelucht. 'Je hebt gelijk,' zegt hij. 'Ik mail je zo de advertentie door.'

Binnen een paar minuten heeft hij hem af. Wat een stress om niks eigenlijk.

Hij klimt de zoldertrap op. Helemaal boven in het huis doet hij de deur van zijn studio open. Het is een piepkleine ruimte. Alleen zijn drumstel kan er staan. Zijn vader heeft het supergoed geïsoleerd. Als hij drumt, hoor je beneden helemaal niks.

Toine gaat achter zijn drumstel zitten en begint te spelen. Het duurt heel even en dan denkt hij nergens meer aan, behalve aan zijn muziek.

2

Toine loopt met zijn vrienden naar de aula. Hij voelt zich al veel beter dan gisteravond. Toen hij beneden kwam, zat zijn vader in de woonkamer. Hij las de krant, net als anders. Hij zag er echt niet uit alsof hij zo bij zijn vriendin vandaan kwam. Hij moet die onzin van Dave vergeten, dat heeft hij ook tegen zijn broer gezegd. Maar Robert gelooft zijn vriend wel. 'Je komt er nog wel achter,' had Robert tegen hem gezegd. 'Als je Birgit hier maar buiten laat,' zei Toine toen. Gelukkig vond Robert dat ook.

De lucht is nog niet helemaal opgeklaard thuis. Vanochtend aan het ontbijt hing er een voelbare spanning. Zijn moeder was uit haar doen. Ze zette voor de tweede keer theekopjes neer, maar dat kan ook door de zenuwen komen. Ze moet deze week tentamens maken. Ze is dit jaar aan een studie begonnen.

Als ze de aula ingaan, stoot Pierre Toine aan. 'Daar staat je verkering.' Hij wijst naar Bregje, die bij de koffieautomaat staat.

'Jij mag haar wel hebben,' zegt Toine.

'Wat zijn we weer gul,' zegt Pierre lachend. 'Mag ik voor de eer bedanken?'

'Hi Toine!' Bregje lacht naar hem. Toine kan dat zoete lachje niet meer zien. Ze zit schuin voor hem in de klas en heeft zich vanochtend wel twintig keer omgedraaid. En elke keer glimlacht ze. Volgens Pierre is ze smoorverliefd op hem. Jammer voor haar, hij vindt haar echt niet leuk genoeg.

Ze kijken naar een jongen die wat kopij bij Bregje inlevert. Bregje zit in de redactie van de schoolkrant. 'Deze schoolkrant red je niet meer,' horen ze haar zeggen. 'Hij komt deze week al uit en de deadline is allang voorbij.'

'Hoor je dat?' zegt John. 'Onze advertentie komt er pas volgende maand in.'

'Nee.' Pierre wijst naar Toine. 'Hij komt er nog in, als we hem vandaag maar inleveren.'

'Weet je dat zeker?' vraagt Kevin.

Toine knikt.

'Wij hebben wel mazzel dat ze zo gek is op jou,' zegt John lachend. 'Eerst die goede recensie die we van haar hadden gekregen, en nu dit weer. Jij krijgt echt een vipbehandeling.'

'Ik wilde net om een andere plek in de klas gaan vragen,' zegt Toine. 'Ik word gestoord van dat mens.'

'Je mag wel met mij ruilen,' zegt John.

'Ja, heel fijn...' Ze moeten lachen. John zit namelijk naast Bregje. Toine ziet het al voor zich dat ze heel dicht tegen hem aan gaat zitten.

'Kunnen we geen verkering voor haar zoeken?' vraagt Toine. 'Dan ben ik van haar af.'

'Wat kan Bregje jou nou schelen?' vraagt Pierre. 'Laat haar toch lekker naar je lachen. Denk aan de band, man. We hebben haar nodig.'

Toine kijkt naar Fleur die de aula inloopt. Wat ziet ze er super uit! Ze is echt heel anders dan Bregje. Als Fleur zijn kant op kijkt, slaat hij gauw zijn ogen neer. Maar Pierre heeft het alweer gezien.

Als Toine koffie gaat halen, staat Pierre met John te smoezen. John steekt lachend zijn duim op.

'Dus wij moeten verkering voor Bregje zoeken?' zegt Pierre als Toine terug is.

'Graag,' zegt Toine.

'Is jouw neef niks voor haar?' vraagt Pierre aan John.

'Alex?'

'Ja,' zegt Toine. 'Dat is geen gek idee.'

'Jullie zijn net te laat,' zegt John. 'Alex heeft dit weekend verkering gekregen met een meisje van onze school.'

'Wie?' vraagt Pierre.

'Ik zag haar net ergens.' John kijkt de aula rond. 'O ja, daar staat ze. Fleur heet ze, geloof ik. Die zus van Pieter.'

Heeft Fleur verkering met Alex?! Toine schrikt zo dat er koffie over de rand van zijn bekertje klotst.

'Ja, en het is dik aan, hoor,' zegt John. 'Volgens mij gaat dat niet meer uit.'

Ze kijken naar Toine en dan moeten ze lachen. 'Haha, grapje, man. Alex heeft helemaal geen verkering met Fleur. Maar je schrok wel, zeg eerlijk.'

'Ik wist niet dat je het zo erg te pakken had, gozer.' Pierre geeft zijn vriend een por. 'Geen gezeik, hoor. We hebben het veel te druk met de band. Zoek jij nou maar een zangeres, dan neem je daar maar verkering mee.'

Toine laat de advertentie aan de bandleden lezen.

'Top!' zegt Kevin. 'Plaatsen die hap.'

John vindt hem ook goed. 'Daar komt echt wel een zangeres op af. Geef hem maar meteen aan Bregje.'

'Dat mag jij doen,' zegt Toine. 'Als ik naar haar toe ga, kom ik nooit meer van haar af. Trouwens, ik moet weg. Ik moet naar de tennisbaan.' Hij duwt het vel papier in Johns hand en gaat ervandoor.

Het baantje op de tennisvereniging heeft hij aan zijn moeder te danken. Zijn moeder is een fanatieke tennisster en ze zit ook nog in het bestuur van de club. Er waren een heleboel sollicitanten, maar toch kreeg hij de baan, terwijl hij geen enkele ervaring in de horeca had. Hij had echt mazzel. Supercorrupt natuurlijk, maar daar kan hij niet mee zitten. Hij verdient er lekker mee. Sjef is een topbaas. Alleen die dames die vaak aan de bar hangen, dat is een nadeel. Ze behandelen hem altijd alsof hij nog een jochie is. En sommigen doen heel overdreven. Zijn moeder heeft twee tennisvriendinnen. Angela, die gaat nog wel, maar Femke is heel erg. Haar dochter zit nog bij hem op school ook, dat hoorde hij van zijn moeder. Debby heet ze. Hij kent haar wel, ze zit bij Fleur in de klas.

'Ik vind je toch zo'n leuke knul,' zegt Femke altijd. 'Ik wou dat mijn dochter zo'n fijne vriend had.'

Hij laat het er maar bij zitten, zijn moeder vindt haar aardig. Bovendien krijgt hij van haar altijd een vette fooi. Laatst gaf ze drie euro. Nou, daar mag ze best wel even voor zeuren.

Toine zet zijn fiets in het rek en gaat de kantine van de tennisclub in.

3

Meestal heeft Toine heel veel zin om naar de repetitie van de schoolband te gaan, maar dit keer ziet hij er een beetje tegenop. Het is een week geleden dat de advertentie in de schoolkrant heeft gestaan. Er zijn drie reacties binnengekomen. Vanavond gaan ze die bespreken.

Het wordt vast een gedoe. Hij ziet ze geen van drieën zitten. John en Pierre zullen hem wel te kritisch vinden, maar het moet wel een aanwinst zijn, anders kun je beter geen zangeres hebben.

Zodra hij de aula inkomt, gaat er een gejuich op. 'Onze manager, jongens! Lees de brieven maar voor.'

'Kevin is er nog niet,' zegt Toine.

John kijkt op zijn horloge. 'Hij heeft nog drie minuten.'

Ze trekken een colaatje uit de automaat.

'Ik vind dat we moeten beginnen,' zegt Pierre als Kevin er na vijf minuten nog niet is. 'Die *sucker* belt ook niet even.'

'Hij zal wel weer met zijn BMX in de weer zijn. Als-ie daarop zit, vergeet hij alles.'

'Dat ding staat echt naast zijn bed, hoor. Wisten jullie dat?' vraagt John.

Toine knikt lachend. 'Beginnen dan maar?' Hij gaat aan tafel zitten en haalt een map uit zijn tas. 'We hebben drie mailtjes gekregen. Een is van Valerie Klein uit 4a.'

'Dat zegt me niks,' zegt Pierre.

'Ze moesten toch ook een foto meesturen?' vraagt John.

Toine knikt. 'Waar heb ik dat ding? Ik heb hem uitgedraaid. O ja, hier is-ie.' Hij laat de foto zien.

'Wauw! Wat een *chicka*.' Pierre fluit als hij de foto bekijkt. 'Nou, laat maar komen.'

'Sorry, maar ik ben er tegen,' zegt Toine. 'Ik heb haar een keer horen zingen en het stelde echt niks voor.'

'Dan valt ze af,' zegt John. 'Dat is duidelijk.'

'Wel jammer.' Pierre kijkt met een verheerlijkte blik naar de foto.

'Hallo,' zegt Toine. 'Als je een meisje zoekt, moet je op De date kijken.'

'Pierre heeft gelijk,' zegt John, 'Ze is wel erg mooi. Kunnen we haar niet een kans geven? Dan zeggen we na afloop dat het ons spijt, maar dat ze helaas is afgevallen.'

'Dat is een goeie.' Pierre moet nu al lachen. 'We laten haar steeds terugkomen. Je bent door naar de volgende ronde, zeggen we dan elke keer. We houden haar zogenaamd tot de laatste ronde. Na maanden komt dan de grote teleurstelling en moet ik haar wel troosten.'

'Dan breng ík haar thuis,' zegt John. 'Service van de band.'

Toine moet ook lachen. 'Maar dat gaat dus mooi niet door. Hier komt de volgende, jongens. Hou je vast: Mellanie.'

'Ja dag!' Die kennen ze blijkbaar allemaal.

'Toch kan ze best aardig zingen,' zegt John.

'Weet je waar ze nog beter in is? Hysterisch ruzie maken,' zegt Toine. 'Die types hoef ik niet in de band.'

De anderen zijn het met hem eens.

'Waren ze dit?' vraagt John. 'Waar blijft Kevin trouwens? Even bellen?'

'Doe dat straks maar,' zegt Toine. 'Ik heb er nog één, maar die is dus echt niet geschikt: Christa.'

'Nee! Uit onze klas?'

Toine knikt.

'Die tut?' roept John. 'Nou, dan kun je de band net zo goed meteen opdoeken.'

'Er staat bij dat ze al jaren in een kerkkoor zingt.'

'Laat haar daar lekker blijven,' zegt John. 'Nou jongens, dit zijn ze dus. We zijn niks opgeschoten. Helaas.' Ze kijken op als de deur opengaat.

'Jij bent lekker op tijd,' zeggen ze tegen Kevin. 'Onze repetitie begint om zeven uur, hoor.'

'Dat weet ik,' zegt Kevin. 'Ik heb heel goed werk voor de band gedaan. Wat kijken jullie trouwens somber.'

'We hebben net alles doorgesproken,' zegt Toine. 'Maar er zit niemand bij. Niet echt om vrolijk van te worden dus.'

'Aha...' Kevin kijkt geheimzinnig. 'Ik heb net een telefoontje van een of andere Daisy gehad. Een Amerikaanse. Ze was bij haar buurjongen, die schijnt hier op school te zitten. Bij hem zag ze de schoolkrant liggen.'

'En? Is het wat?' vraagt Toine.

'Een vette tien,' zegt Kevin. 'Ze heeft haar foto naar mijn mobiel gemaild. Echt een toppertje.' Hij laat vol trots de foto zien.

'Tering, wat een stuk! Ze is net Britney Spears. Echt een Amerikaanse. Waar is die foto genomen?'

'In L.A., daar komt ze vandaan. Ze heeft daar verschillende keren opgetreden.'

'Ze ziet er echt heel gaaf uit,' zegt Toine.

'Ze zei dat ze het laatste halfjaar een beetje is veranderd, maar daar ben ik niet op ingegaan. Ze zal wel wat ouder geworden zijn, maar dat vinden wij alleen maar goed.'

'En die *chicka* wil echt in onze band?' Toine kan het niet te geloven. 'Het is geen grap, hè?'

'Natuurlijk niet.' Kevin steekt twee vingers op.

'Dit is haar, jongens. Precies wat we nodig hebben,' zegt John. Met zijn allen hangen ze opgewonden boven de foto.

'Ongelofelijk,' zegt Pierre. 'Dit is echt een wonder. We gaan het maken, gozer!' Hij geeft Toine een klap op zijn schouder. 'Ze ziet er echt heel professioneel uit. Over een paar maanden hebben we onze eerste cd.'

'En wat dacht je van onze website?' zegt John. 'Daar komt ze prominent op te staan. Nou, die website van ons wordt een hit, dat weet ik nu al.'

'Als ze *ons* maar ziet zitten,' zegt Toine. 'Ze is blijkbaar al heel wat gewend en wij zijn nog maar beginnelingen. Wat heb je afgesproken?'

'Over een kwartier is ze hier.'

Nu slaat de stress echt toe.

'We mogen haar niet laten gaan,' zegt Toine. 'Hoe pakken we het aan?'

'Ja, Pierre,' zegt Kevin. 'Vooral geen seksistische opmerkingen, daar heeft ze geen zin in.'

'O, alsof ik de enige ben die dat doet,' zegt Pierre geïrriteerd. 'John kan er anders ook wat van, hoor.'
'Ik?' roept John beledigd. 'Nee, nou wordt-ie mooi. Geef mij maar weer de schuld.'
'Hallo,' zegt Toine. 'Geen ruzie, jongens. We moeten het wel onder controle hebben. Waar willen we dat ze staat?'
'Dat lijkt me wel duidelijk,' zegt John. 'Bij mij.'
'Bij jou?' zegt Pierre verbaasd. 'Man, dat zie je nooit. Een zangeres staat niet bij de synthesizer. Ze hoort bij de gitaristen.'
'Misschien moet ze een beetje rondlopen,'zegt Toine. Hij voelt dat hij zelf ook gestrest is. Het is zijn droom, een band met een zangeres, en nou hebben ze er misschien een te pakken. Een meisje met ervaring. Hij kan het bijna niet geloven.
'Heb je gezegd dat we in de aula zijn?' vraagt Pierre.
Kevin knikt.
'Dat kan ze nooit vinden,' zegt Toine. 'Een van ons moet haar buiten opwachten.'
John en Pierre rennen al naar de deur.
'Wacht nou even,' zegt Kevin. 'Laten we nog een keer onze nieuwe song oefenen. Zo meteen klinkt het niet en dan knapt ze op ons af.'
'Helemaal mee eens,' zegt Toine. 'We moeten wel als professionals overkomen.'
Ze beginnen te spelen.

De jongens hebben in geen tijden zo fanatiek geoefend. Ze zijn supergeconcentreerd.
'Tempo, jongens!' roept Toine boven de muziek uit.
Ze zijn zo hard aan het repeteren dat ze niet merken dat de deur van de aula opengaat.
'Hi!' wordt er geroepen. Ze kijken naar een gothicmeisje dat binnenkomt. Ze is helemaal in het zwart gekleed, heeft pikzwart haar en rond haar ogen zijn dikke zwarte randen getekend. Toine vindt het wel grappig, maar hij vraagt zich af wat ze komt doen. Als ze nog even doorwerken, kunnen ze net hun song gespeeld hebben voordat Daisy komt.
'Sorry,' zegt hij. 'Je stoort ons.'

'Ben ik te vroeg?' vraagt ze vriendelijk.
Met open mond luisteren ze naar het Amerikaanse accent.
'Ben jij soms...'
'Yep! Ik ben Daisy!' roept ze vrolijk. Ze loopt naar hen toe.
'Op de foto zie je er heel anders uit,' zegt Toine.
Nu begint Daisy te lachen. 'Dat zei ik toch! Ik ben een beetje veranderd, maar Kevin wilde niet luisteren. Ik wilde zeggen dat ik gothic ben geworden. Ik ben er zo blij mee, ik voel me helemaal mezelf. Nou, laat maar horen wat jullie spelen, dan kijk ik wel of ik erbij kan zingen.' En ze staat al op het podium.
De jongens zijn totaal verbluft. Dit wordt niks, denkt Toine. Ze past helemaal niet bij ons. Heeft het wel zin om haar te laten zingen? Hij kijkt naar Pierre. Nee, hè? denkt hij geschrokken. Pierre vindt haar natuurlijk weer fantastisch.
Oké dan maar. Hij telt af en ze beginnen te spelen.
Daisy luistert even en dan valt ze in. Ze zingt heel goed, maar het is een totaal andere stijl. Haar bewegingen zijn ook anders. Heel heftig. Moet je nou kijken, denkt Toine als ze als een slang over de grond kronkelt, dat past toch helemaal niet bij onze muziek.
'En?' vraagt ze als de song is afgelopen. 'Wat vinden jullie ervan? Zeg maar eerlijk, hoor.'
'Eh... we moeten het nog even samen bespreken,' zegt Toine.
'Nou, ik hoef helemaal niks te bespreken,' zegt Pierre. 'Ik vond het supergaaf!'
'Dank je,' zegt Daisy en ze lacht naar Pierre.
'Ik bel je vanavond nog,' zegt Kevin.
'Oké, *bye*!' En ze verdwijnt.
'Shit!' roept Kevin. 'Dit is helemaal niks. Ze zingt wel goed, maar het past niet bij ons.'
'Onzin,' zegt Pierre. 'Ze zingt geweldig. Ik zou niet weten waarom het niet zou passen.'
'Omdat het niet onze stijl is,' zegt Toine.
'Nou en?' zegt Pierre. 'Dan passen we onze stijl toch aan.'
'Hallo, ik ga niet ineens gothic worden voor zo'n meisje, hoor,' zegt John.

'Tjongejonge, wat een zakkig stelletje zijn jullie,' zegt Pierre. 'Wie wilde er nou zo nodig een zangeres? Ik niet hoor!' Hij kijkt Toine aan. 'En dan hebben we er een, en een goeie, en dan wil je haar niet.'

'Het past niet,' zegt Toine. 'Wij zijn niet gothic.'

'Dus je bent tegen?'

'Inderdaad,' zegt Toine. 'Dan heb ik liever geen zangeres. Hier schieten we niks mee op.'

Pierre is kwaad. 'Ik snap jou niet. Je lijkt wel een ouwe lul. Het is hartstikke *hot* wat ze doet. Je wil toch beroemd worden?'

'Denk nou even redelijk na,' zegt Kevin. 'Dan moeten we ons hele imago veranderen.'

'Nou en? Dat wordt tijd. Wat hebben we nou bereikt? Wil je de rest van je leven op schoolfeesten spelen? Ik heb dat wel een beetje gezien.'

'Ga jij dan maar met haar optreden. Wil je haar nummer? Bel haar maar op.'

'Ja,' zegt Pierre, 'dat wil ik zeker. Ik geloof erin. Ik zeg wel dat jullie het niet aandurven.'

'Hier komt-ie.' Kevin sms't Daisy's nummer naar Pierre.

4

Toine baalt als hij naar huis fietst. Wat een avond! Nou heeft hij nog ruzie met Pierre ook, alleen maar door die stomme advertentie. Had-ie hem maar nooit geplaatst. Pierre zal haar nu wel hebben gebeld. Hij denkt niet dat hij iets van hem zal horen, die is woedend. Maar bij Pierre duurt het nooit zo lang. Wat wil hij nou met die Daisy? Pierre heeft weleens vaker een aanval, dan wil hij ineens bij een totaal andere *scene* horen. Hij is ook een tijdje skater geweest. Heel fanatiek, maar het was na een paar weken helemaal voorbij. Zou hij nu ook in het zwart gaan lopen? Dat ziet hij echt niet voor zich, maar aan de andere kant: van Pierre kun je alles verwachten.

Hij heeft zin om hem te bellen. Hij wil weten of hij met Daisy heeft afgesproken. Dat moet zij ook maar net willen. Ze kwam wel op een band af en niet alleen op een gitarist. Hij zal het morgen wel horen, Pierre kan het toch niet lang voor zich houden.

Toine zet zijn fiets in de schuur en gaat naar binnen.

'En? Hoe ging het?' vraagt zijn moeder.

'Kon beter.' Toine heeft geen zin om erover te praten en loopt naar boven. Hij is blij dat zijn moeder weer vrolijk is. 'Papa en ik hebben het helemaal uitgepraat,' zei ze vanmiddag tegen hem op de tennisbaan. Toine vond het fijn om te horen. Pierre heeft gelijk gehad. Ze gaan echt niet scheiden, daar is wel meer voor nodig dan een paar ruzietjes.

Toine zit net achter zijn bureau als Robert binnenkomt. 'Jij wilde Dave niet geloven, hè?'

'Wat bedoel je?' vraagt Toine. Maar ineens weet hij het weer. 'O, dat met papa. Nee, zeker niet. Het is maar goed ook, want het is weer helemaal goed tussen die twee.'

'Dat hoop je, maar ik denk dat je dan zelf maar eens moet gaan kijken,' zegt Robert.

'Hoezo? Waar moet ik gaan kijken?'

'Dave belde net,' zegt Robert. 'Papa ging weer dat huis in.'

Wat zegt Robert nou? Toine zit geschrokken achter zijn bureau, en Robert is alweer weg. Is zijn vader weer bij die vrouw? Dat kan toch niet? Maar waarom zou Dave het anders zeggen? Hij moet weten of het waar is. De enige manier om erachter te komen, is er nu heen te gaan. Eigenlijk moet hij zijn Engels leren, maar daar staat zijn hoofd niet naar. Hoe kan hij zich nou concentreren bij de gedachte dat zijn vader bij een andere vrouw is?

Toine doet Roberts kamerdeur open. 'Welk nummer?'

Robert kijkt op van zijn huiswerk. 'Je gaat er naartoe?'

'Ja,' zegt Toine. 'Ik móet het weten.'

'Vijftien,' zegt Robert.

'Ga je mee?' vraagt Toine.

'Ik hoef niet te gaan kijken, het is gewoon zo.'

Van Galenstraat 15 dus. Het komt Toine ineens zo bekend voor. Waar kent hij dat adres van? Ja hoor, zegt hij tegen zichzelf, het is nog een bekende ook.

Een paar minuten later zit hij op de fiets. Hij heeft een raar gevoel. Waar is hij eigenlijk mee bezig? Hij gaat zijn vader bespioneren. Is dat niet een beetje maf? Hij vertrouwt zijn eigen vader dus niet. Zo is het toch? Anders zou hij het niet gaan uitzoeken, dan zat hij nu zijn Engels te leren. Het is maar goed dat zijn vader niet weet waar hij mee bezig is. Waarschijnlijk is hij gewoon bij dezelfde collega als vorige week. Misschien hebben ze samen een project dat af moet.

Hij rijdt door het centrum. Hij heeft geen idee waar de Van Galenstraat ligt, maar het moet bij Dave om de hoek zijn en zijn huis weet hij wel te vinden. Hij heeft zich tóch door Dave laten opfokken. Als het niet waar is en Dave heeft het verzonnen, dan moet hij zijn broer toch eens streng toespreken. Welke vriend verzint nou zulke praatjes? Dat doe je toch niet? Misschien heeft hij het zogenaamd als een grap bedoeld, maar hier kan hij de humor echt niet van inzien. Toine heeft Dave altijd een vreemde jongen gevonden, maar Robert gelooft heilig in zijn vriend. Roberts andere vriend, Donny, daar kan hij het juist heel goed mee vinden. Donny is DJ. Hij is nog beroemd ook. Toine praat vaak met hem over muziek.

We zullen zien of Dave gelijk heeft, denkt Toine. Hier moet het ergens zijn. Hij rijdt het bruggetje over. Als hij rechtdoor fietst, komt hij bij Daves huis. Misschien moet hij naar links, of naar rechts, hij zal vanzelf wel merken hoe het zit. Hij kijkt op het naambordje. Van Galenstraat staat erop. Hij is er dus al. Nu hoeft hij alleen nog nummer vijftien te zoeken. Dat is dus aan de overkant, want hier is nummer tien.

Toine rijdt midden op de brug als hij zijn vaders auto ziet staan. Daar is het dus. Hij krijgt een raar gevoel in zijn maag. Hij fietst naar nummer vijftien. Hij probeert naar binnen te kijken, maar kan niks zien. De luxaflex staan maar op een kiertje.

Het moet niet zo zijn dat zijn vader hem straks ziet staan als hij naar buiten komt. Een eindje verderop staat een vrachtwagen. Als hij daar nou eens achter gaat staan wachten.

Hij staat er nog maar net als zijn mobiel gaat. Het is zijn broer. 'En?' vraagt Robert.

'Wat nou "en"?' zegt Toine. 'Ik ben hier net.'

'Je kunt toch wel zien of papa's auto er staat.'

'Die staat er,' zegt Toine geërgerd. 'Maar wat zegt dat nou? Hij kan gewoon bij een collega zijn.'

'Ja hoor, geloof jij maar in sprookjes. Ik hoor het wel.'

Toine zet zijn mobiel uit. Dat ding staat keihard. Als het een beetje tegenzit, herkent zijn vader zijn ringtone. Hij kijkt naar de voordeur. Is het niet absurd? Het kan wel midden in de nacht worden voordat zijn vader naar buiten komt. Toch blijft hij wachten. Nu hij hier eenmaal is, móet hij het weten ook.

Het duurt zeker lang. Toine staat er al meer dan een uur en zijn vader is nog steeds binnen. Maar hij blijft wachten, al duurt het de hele nacht. Dan belt hij straks zijn moeder wel dat hij bij Pierre slaapt. Ineens gaat er een rilling door hem heen. Een eindje verderop fietst Fleur met haar broer. Toine vergeet zijn vader helemaal. Met kloppend hart kijkt hij naar Fleur, die steeds dichterbij komt. Wat is ze toch mooi! Hij is echt hartstikke verliefd, dit gevoel kent hij helemaal niet. Ze is vlakbij! Hij zou wel voor haar fiets willen springen zodat ze moest stoppen en hij haar zou kunnen kussen. Het zweet staat op zijn voorhoofd als ze voorbij rijdt. Hij trilt helemaal. Wordt het niet eens tijd dat ik een *move* maak? denkt hij bij zichzelf.

Toine leunt vermoeid tegen de vrachtwagen als de deur van nummer vijftien opengaat. Hij is meteen klaarwakker. Daar is zijn vader! Hij springt op. Zijn vader is niet alleen. Achter hem staat een vrouw in een badjas. Een vrouw? Dat is Angela, de tennisvriendin van zijn moeder. Het kan toch niet dat zijn vader... Maar dan ziet hij dat zijn vader haar kust. Een heel innige kus. Het is zo! Dave heeft het goed gezien, zijn vader heeft een ander. Ze kussen nog steeds. Alles wordt wazig voor Toines ogen. Hij ziet zijn vader naar zijn auto lopen. Klootzak! wil hij roepen. Hij moet moeite doen om niet naar het huis te rennen en een trap tegen de dichte deur te geven.

Hij hoort zijn vader wegrijden. Hoe kan het? denkt Toine. Een vriendin van mama... Ze heeft een paar keer bij hen gegeten, samen met Angela's dochter. Daarom kwam het adres hem bekend voor. Hoe durft zijn vader? En morgen staat die Angela zeker weer met zijn moeder op de tennisbaan?

Toine voelt zich misselijk worden. Dit moet hij aan Pierre vertellen. Hij vergeet helemaal dat ze ruzie hebben, zet zijn mobiel aan en ziet twee gemiste oproepen, beide van Pierre. Hij toetst Pierres nummer in.

'Tering!' zegt Toine als Pierre opneemt. 'Ik sta hier te *shaken*.'

Pierre hoort dat er iets aan de hand is. 'Waar?'

'Bij die vrouw voor de deur, weet je wel. Dat verhaal van Dave, het klopt. Ik zie mijn vader net met haar zoenen. Hij kuste haar, Pierre, en ik ken haar nog ook. Ze tennist met mijn moeder.'

'Shit!' zegt Pierre. 'Wat een gelazer. Heeft je pa je gezien?'

'Nee,' zegt Toine. 'Die is nu naar huis met zijn schijnheilige kop. Mijn vader heeft een liefje, Pierre. Verdomme!'

'Wil je hierheen komen?' vraagt Pierre.

'Nee, ik ga naar huis. Shit, Shit, Shit.'

'De liefde...' zegt Pierre. 'We schrijven er wel een mooie song over.'

'Wil je dan nog bij onze band blijven?' vraagt Toine.

'Natuurlijk wel,' zegt Pierre. 'Ik heb haar gebeld, maar ze zei hetzelfde als jij. Dat we niet bij elkaar passen. Nou ja, ze bracht het iets anders. Ze noemde ons een stelletje *losers*.'

'Weet je wie een *loser* is? Mijn vader!' zegt Toine. 'Ik zie je morgen.'

Hij kijkt naar het raam met de luxaflex. Wat zou hij daar graag een steen doorheen keilen.

Toine zet zijn fiets in de schuur. Daarna gaat hij via voordeur naar binnen. Hij heeft echt geen zin om die tronie van zijn vader te zien. Welterusten! roept hij door de kamerdeur heen en loopt meteen door naar boven. In Roberts kamer brandt nog licht. Hij dacht wel dat zijn broer zou wachten. Toine gaat zijn kamer in. Robert zit op bed met zijn iPod op. Als hij Toine ziet, zet hij de muziek meteen af. 'En?' vraagt hij.

'Het klopt.' Toine vertelt zijn broer wat hij gezien heeft. Hij trilt helemaal, maar nu het waar blijkt te zijn, schrikt Robert ook heel erg.

'Wat?' zegt hij. 'Met die Angela?'

Toine knikt.

'Hoe durft hij? Dat is mama's vriendin. Wat een klootzak!' Robert wil meteen naar beneden stormen, maar Toine houdt hem tegen. 'Niet doen! Wil je mama over de zeik hebben? Ze moet morgen een tentamen maken.'

Robert knikt. 'Hoe lang zou dit al aan de gang zijn?' vraagt hij.

'Geen idee,' antwoordt Toine. 'Maar het zag er niet naar uit dat ze elkaar voor het eerst zagen.'

'We pakken hem, Toine,' zegt Robert. 'We pakken pa aan.'

'Ik heb wel een idee,' zegt Toine. 'Op de fiets heb ik iets bedacht. We zeggen niks tegen pa en vragen mama of ze die Angela weer eens uitnodigt.'

'Vet!' roept Robert. 'En dan is pa erbij. Wat zal hij in zijn broek schijten.'

'En die Angela ook.' Nu moet Toine voor het eerst lachen. 'We zorgen ervoor dat ze die avond nooit meer vergeten.'

'We fokken ze!' zegt Robert. 'Ik weet nog niet precies hoe, maar we fokken ze. En mama hoeft er niks van te merken. Het gaat alleen om die twee.'

'Maar hoe krijgen we haar hierheen?' zegt Toine. 'Mama zal raar opkijken als wij ineens Angela bij ons thuis willen hebben.'

'Wat doet dat mens ook alweer?' vraagt Robert. 'Behalve pa versieren?'

'Werkt ze niet in een hotel?' vraagt Toine. 'Ja, nou weet ik het weer. Daar heeft ze een heel goede job.'

'Komt mooi uit,' zegt Robert. 'Ik wil naar de hotelschool. Hoe vind je die?'

'Gaaf!' Toine ziet het helemaal zitten. 'En je wilt van haar de ins en outs van het hotelleven weten. Jij naar de hotelschool? Ik moet wel even lachen, hoor, sorry.'

'Pa en ma zeuren toch dat ik totaal niet weet welke richting ik op wil? Nou weet ik het. Ik weet ineens waar ik voor moet gaan.'

'Mama is allang blij,' zegt Toine. 'Ze nodigt Angela meteen uit als we dat vertellen.'

'Moeten jullie niet slapen?' Hun moeder staat plotseling in de deuropening van Roberts kamer.

'We zitten te praten,' zegt Toine. 'Robert weet ineens wat hij wil gaan doen.'

'Echt waar?'

Robert knikt. 'Ik wil naar de hotelschool. Lijkt me vet.'

'Jij?' vraagt ze. 'Hoe kom je daar nou ineens bij?'

'Daar kwam onze decaan mee aan,' zegt Robert. 'Het leek me wel wat.'

'Wat leuk,' zegt ze verrast. 'Maar zullen we het daar morgen over hebben? Ik moet naar bed, morgen wil ik fit zijn. Maar ik ben blij dat je iets weet, jongen. Welterusten.'

Als hun moeder weg is, steekt Toine zijn duim op. 'Dit gaat lukken.'

5

De volgende dag staat Toine achter de bar op de tennisclub. Hij denkt alleen maar aan zijn vader. Hij ziet steeds het beeld van gisteravond voor zich. Hoe kan het dat zijn vader zoiets doet?

'Kijk eens wie we daar hebben?'

Toine schrikt op uit zijn gepeins. Het is de moeder van Debby. Nee hè, denkt Toine. Femke... Niet nu!

'Dit is nou Marit,' zegt ze. Toine kijkt op. 'Hi.' Hij lacht naar haar.

'Ja, ik dacht ik neem mijn oudste dochter maar eens mee,' zegt Femke.

'Mam!' Marit klinkt geërgerd.

'Wat nou? Jullie zijn van dezelfde leeftijd,' zegt Femke. 'Dat is toch leuk.'

Hoezo van dezelfde leeftijd? denkt Toine. Wat moet ik hier nou weer mee?

Hij is blij dat er nog meer mensen binnenkomen. Hij schenkt voor iemand een kop koffie in.

'Ze is Debby's zus,' zegt Femke. 'Maar Marit is heel anders, veel zachter.'

Nou, zo zacht ziet ze er niet uit, denkt Toine. Eerder *bitchy*. Er lopen wel aardigere meiden rond op de tennisbaan.

'Misschien kunnen jullie een keer naar de film gaan?' zegt Femke. 'Ik trakteer.'

Toine laat van schrik een lepeltje vallen. Ineens heeft hij het door. Dat mens is ze gewoon aan het koppelen. Wat denkt ze nou? Het lijkt wel of ze haar dochter wil uithuwelijken.

'Lijkt het je geen leuk idee?' vraagt Femke.

Toine ziet dat Marit zich doodschaamt. Hij moet er niet aan denken met dat type naar de film te moeten gaan. 'Sorry,' zegt hij gauw. 'Ik heb het heel druk met de band.' Hij helpt snel iemand anders.

Marit loopt de kantine uit. Ze is woedend op haar moeder.

Toine hoopt dat Femke ook weggaat, maar die blijft staan. Ze buigt zich naar hem toe. 'Ze is verlegen, omdat ze je zo leuk vindt. Daarom dacht ik–'

'Toine, kun je me even helpen achter?' vraagt Sjef.

Wat een geluk. Zijn baas heeft hem gered.

'Ik moet aan het werk. Dag Femke,' zegt hij gauw. Zo'n genante vertoning heeft hij nog nooit meegemaakt.

Tien minuten later komt Sjef hem uit de keuken halen. 'Ze is weg, de kust is veilig.'

'Bedankt,' zegt Toine. Zuchtend gaat hij weer aan het werk. Wat een mens, dat zijn moeder daar mee omgaat. Nou ja, vergeleken met die *creep* van een Angela is Femke nog heilig.

'Heeft een van jullie nog iets gehoord over een zangeres?' vraagt Toine aan de andere bandleden als ze met zijn allen in de aula staan.

'Ik stel voor dat we ophouden met het zoeken naar een zangeres.'

'Ik ook,' zegt Kevin. 'Het levert niks op.'

'Jawel,' zegt John. 'Een zooitje ellende. We hebben nog gezeik gekregen ook.'

'Nou, gezeik?' zegt Pierre. 'Overdrijf niet zo.'

'O, dat noem je geen gezeik?' zegt John. 'Je schold ons uit voor ouwe lullen, omdat we niet gothic wilden worden.'

'Laat me toch,' zegt Pierre. 'Af en toe heb ik een aanval, dat weet je toch. Stelt niks voor.'

'Zeg dat er in het vervolg even bij.' John neemt een hap van zijn boterham.

'Jullie zullen me wel een zeikerd vinden,' zegt Toine, 'maar ik wil toch doorzoeken naar een zangeres.'

'Alsjeblieft,' zucht John. 'Dan blijf ík wel zingen. Ik vind het wel mooi geweest zo.'

'Ik niet,' zegt Toine. 'Ik geloof er gewoon in.'

'Nou eh, dan zoek je toch lekker door,' zegt Pierre. 'Maar laat ons erbuiten.'

'Helemaal mee eens,' zeggen John en Kevin tegelijkertijd. 'Woensdagavond gaan we weer gewoon repeteren,' gaat Kevin door. 'Elke keer dat gezeur over een zangeres. Dus, manager, veel succes.' De jongens trekken een blikje cola uit de automaat.

Toine baalt. Het ergert hem dat ze het nu al opgeven. Wat hebben ze er nou helemaal voor gedaan?

John kijkt naar Debby, die de hele tijd hun kant op kijkt. 'Wat moet die nou weer? Volgens mij wil ze iets van jou, Toine.'

'Weet ik het,' zegt Toine. 'Geen interesse.'

'Kan zíj niet zingen? Ze ziet er wel goed uit,' zegt Pierre.

'Ze danst,' antwoordt Toine.

'Hoe weet jij dat?'

'Op de tennisbaan vertelde ze me dat ze auditie mag doen voor een clip.'

'En dat heb je ons niet verteld.'

'Niet meer aan gedacht,' zegt Toine. Dat gevraag irriteert hem. Vandaag ergert hij zich overal aan, dat komt door dat gedoe met zijn vader.

Pierre merkt het wel. 'Hé, je ouders zijn nog niet gescheiden, hoor,' zegt hij als ze in de gang staan. 'Het kan nog goedkomen.'

Toine knikt. Zijn vriend heeft gelijk. Misschien ziet hij het ook wel te somber in.

Ineens gaat er een rilling door hem heen. Daar heb je Fleur! Ze loopt te lachen met haar vriendinnen. Zijn rotbui is meteen weg. Doe er wat aan, zegt hij tegen zichzelf. Zo meteen heeft ze een ander en dan baal je. In plaats van zijn ogen neer te slaan of zijn hoofd om te draaien, kijkt hij haar aan. 'Hoi Fleur,' zegt hij.

Fleur lacht naar hem. 'Hi Toine.'

Ze weet hoe ik heet! Toine gloeit helemaal. Hij is vuurrood, maar dat kan hem niks schelen. Hij heeft het gedaan! Hij heeft Fleur gedag gezegd en ze draaide niet haar hoofd weg, waar hij bang voor was. Ze groette terug. Toine weet heus wel dat hij populair is, maar nu is het anders. Fleur heeft naar hem gelachen!

Toine denkt helemaal niet meer aan zijn vader. De hele ochtend staat het beeld van Fleur op zijn netvlies gebrand. In het tussenuur heeft hij het hoogste woord.

'Wat is er met jou?' vraagt Pierre. 'Nee hè!' roept hij uit als hij zijn vriend aankijkt. 'Die kop van je!'

'Heb ik iets gemist?' vraagt John.

'Volgens mij hebben we allemaal iets gemist,' zegt Pierre. 'Je ziet eruit alsof je een zangeres hebt gescoord.'

'Zangeres? Welnee, man. Ze heeft naar me gelachen,' zegt Toine stralend.

'Help!' Pierre grijpt naar zijn hoofd. 'Dit is nog veel erger dan dat gedram over die zangeres. John, bel de psychiater maar vast. Onze manager is verliefd.'

Als Toine thuis de trap oploopt, steekt Robert zijn hoofd om zijn kamerdeur. 'Ben je het er nog steeds mee eens?'

'Eh...wat?' Toine denkt alleen maar aan Fleur.

'Doe niet zo vaag,' zegt Robert.

Nu weet Toine het weer. 'O, je bedoelt dat van Angela. Ja, natuurlijk ben ik het daar mee eens. Heb jij pa nog gezien?'

'Vanochtend,' zegt Robert. 'Hij was laat en toen vroeg-ie of mama zijn brood klaar wilde maken. Ze deed het nog ook. Toen vond ik het wel even moeilijk, maar ik heb m'n kop gehouden.'

'Goed van je,' zegt Toine. 'Vanavond maken we een beginnetje.'

Robert knikt. 'Onder het eten, want daarna zal hij wel weer meteen weg moeten.'

'Ja, onze paps heeft het maar druk,' zegt Toine. 'Als hij maar niet overwerkt raakt.'

'Geslaagd!' horen ze beneden roepen. Hun moeder staat met een stralend gezicht onderaan de trap.

'Weet je dat nu al?'

'Het was multiple choice,' zegt ze. 'Ik heb het opgezocht. Meer dan driekwart heb ik in elk geval goed. Ik heb het gehaald! Jullie zijn zeker wel trots op jullie moeder?'

'Gaaf!' zeggen de jongens. 'Gefeliciteerd. Dus we gaan uit eten?'

'Wat een leuk idee,' zegt hun moeder. 'Daar had ik nog niet eens aan gedacht. Birgit logeert bij oma, dan kunnen wij lekker kletsen. Ook over jouw plan, Robert.'

'Top!' zegt hij.

'Waar willen jullie eten? Bij Oase?'

'Nee, daar zit je zo opgeprikt,' zegt Toine. 'Ik wil een pepersteak.'

'Dan gaan we naar Fabels,' zegt hun moeder. 'Ik reserveer wel.'

'En wat zei papa?' vraagt Toine.
'Hij is heel trots op me.'
Robert en Toine kijken elkaar aan. 'Jaja,' zegt Robert zachtjes. 'Wat is-ie trots. We pakken hem.'
Toine knikt. 'Het komt goed uit dat Birgit er niet is, dan kunnen we even goed gas geven.'

Toine vindt het best moeilijk als ze in het restaurant zitten. Zijn vader heeft een roos voor hun moeder bij zich omdat ze geslaagd is. Normaliter zou hij dat heel lief vinden, maar nu vertrouwt hij het niet meer. Robert ook niet. 'Zijn schuldgevoel afkopen,' zegt hij zachtjes.
'Ik wil eerst een aperitief,' zegt hun moeder als de ober vraagt wat ze willen drinken. Ze bestelt een perziklikeur voor zichzelf en drie witbiertjes voor de anderen.
'Nou, proost,' zegt hun vader als ze allemaal een glas in hun hand hebben. 'Op je toekomst, Sjanna.'
'En op jullie toekomst,' zegt hun moeder. 'Ik ben zo blij dat je eindelijk weet wat je wilt, Robert.'
'Ja, dat hoorde ik van mama,' zegt hun vader. 'Je wilt naar de hotelschool. Dat klinkt goed. In die branche is altijd wel werk te vinden.'
Robert knikt. 'Het lijkt me wel gaaf om in een hotel te werken. Tenminste, wat ik erover gehoord heb.'
'Wat zei de decaan?' vraagt zijn vader.
'Dat ik het juiste vakkenpakket heb en dat het verstandig is als ik nog eens met iemand uit het vak praat.'
'Dat zou ik zeker doen,' zegt Toine. 'Wat weet je er nou helemaal van af?'
'Dan moet ik natuurlijk wel iemand kennen,' zegt Robert. 'Wisten we maar iemand die in een hotel werkt.'
Toine gluurt naar zijn moeder. Het zou mooi zijn als ze zelf op Angela zou komen.
'Ik weet ook niemand,' zegt Toine als zijn moeder niet reageert. 'Ik kan eens op de tennisbaan vragen.'
Nou mam, denkt hij. Nu moet er toch een lampje gaan branden.

Het lijkt wel of hun moeder zijn gedachten kan raden. 'Wacht eens!' zegt ze ineens. 'Weet je met wie je moet gaan praten? Met Angela.'

'Je tennisvriendin?' vraagt Robert verbaasd. Hij en Tione kijken stiekem naar hun vader. Hij prutst onrustig aan zijn bierviltje.

'Gaaf!' zegt Toine. 'Dat we dat nu pas bedenken. Zij werkt in een hotel. Waarom nodig je haar niet uit om te komen eten? Ze is toch wel vaker bij ons geweest?'

Robert geeft Toine een schop onder de tafel, maar Toine heeft al gezien dat hun vader zich bijna verslikt in z'n bier.

'Vind je niet pa?' zegt Toine. 'Dan kan Robert haar van alles vragen. Jij zegt altijd dat we ons goed moeten documenteren voordat we een beslissing nemen, toch?'

'Ja eh, natuurlijk. Maar die vrouw is heel druk heb ik altijd begrepen. Ze hoeft toch niet speciaal daarvoor naar ons toe te komen? Je kunt haar ook mailen.'

'Nee,' zegt Toine. 'Dat is niks toch, Robert?'

'Ik zou het wel fijn vinden als ze bij ons komt eten,' zegt Robert. 'Dan heb ik alle tijd.'

'Dat vindt ze prima,' zegt hun moeder. 'Ik kan haar voor dit weekend vragen.'

Toine ziet dat zijn vader zich doodschrikt. Hij drukt van de stress zijn sigaret naast de asbak uit, in plaats van erin. 'Je gaat haar toch niet voor zaterdagavond vragen?' zegt hij. 'Voor haar is het ook weekend, hoor.'

'Vrijdag dan?'

'Prima,' antwoordt hij. 'Maar helaas kan ik er niet bij zijn. Ik zit bomvol. Maar laat je niet door mij weerhouden.'

'Nee, jij moet erbij zijn, pap,' zegt Robert. 'Jij hebt altijd van die slimme vragen.'

'Ik zeg toch dat ik niet kan!' zegt zijn vader. Het komt er wel heel fel uit.

'Het lijkt wel of je een hekel aan haar hebt,' zegt Toine.

'Ja,' zegt Robert. 'Dat zou je haast denken.'

'Hoe komen jullie daar nou bij?' vraagt hun moeder. 'Papa tennist ook graag met haar.'

Niet alleen tennissen, denkt Toine.
'En? Heeft u al een keus kunnen maken?' vraagt de ober.
'Sorry,' zegt hun moeder. 'We hebben nog niet eens in de kaart gekeken.'
'Dan kom ik zo wel terug.'
'Pap, jij mag het zeggen,' zegt Robert.
'Moet ik zeggen wat jullie moeten eten?' vraagt hij.
'Nee, welke avond Angela moet komen,' zegt Robert.
Dat gezicht van hun vader! De jongens durven elkaar niet aan te kijken, want dan kunnen ze hun lach zeker niet houden.

Hun moeder laat het er niet bij zitten. Zodra ze thuis zijn, belt ze Angela op.
'En?' vragen ze als ze uit haar werkkamer komt. 'Heb je haar uitgenodigd?'
'Ze doet het,' zegt hun moeder. 'Maar ze heeft een overvolle agenda.'
Dat zal best, denkt Toine.
'Ze kan alleen op de maandagavond.'
Die is slim, denkt Toine. Robert denkt precies hetzelfde. Op maandagavond moet hun vader schaken dus dan kan hij er niet bij zijn.
'Dan moeten we wachten tot ze een andere keer kan,' zegt Robert.
'Maar dan kan papa weer niet,' zegt moeder. 'Het zijn zulke drukbezette mensen. Ik heb voor maandagavond afgesproken. Papa vindt het vast niet zo erg.'
Daar gaat hun plan. Robert en Toine lopen naar boven.
'Dat is mooi balen,' zegt Robert. 'Dit heeft dus helemaal geen zin. Het is nog zonde van onze avond ook. Wat moeten we nou met dat mens. Zeker de hele avond te horen krijgen hoe je tafels moet dekken.'
'Zo gemakkelijk komen ze er niet vanaf,' zegt Toine. 'Ik zorg ervoor dat papa thuis blijft.'
'Denk je dat hij dat doet?' vraagt Robert.
'Ik ga op zijn gevoel werken,' zegt Toine. 'Laat maar aan mij over.'

'Wel jammer voor je, hè, pa?' zegt Toine. 'Angela komt op maandagavond, daar gaat je schaakavondje.'

'Mijn schaakavondje? Nee,' zegt zijn vader. 'Daar moet ik naartoe. Nee, dat zou zonde zijn. Bovendien is het niet nodig. Mama is er toch bij?'

'Pa?' Toine doet net of hij echt schrikt. 'Wat is er met jou? Ik herken je niet. Tegen ons zeg je altijd dat we prioriteiten moeten stellen. Laatst nog, toen ik mijn schoolband moest laten schieten voor oma's verjaardag. En nu ga jij gewoon schaken?'

'Oma werd zestig,' zegt zijn vader.

'Nou en? Ze vond het zelf helemaal niet belangrijk. Robert vindt het wel belangrijk dat jij er bent, dat heb je toch gehoord? Als ik zou horen dat jij je schaakclub voor mijn toekomst zou laten gaan... En twee weken geleden ging je niet eens, toen had je geen zin. Ze kunnen je dus best missen.'

'Als papa wil schaken, laat hem dan gewoon,' zegt zijn moeder. 'Hij werkt al zo hard. Papa heeft ook zijn ontspanning nodig.'

'Als Robert verkeerd kiest, dan krijg je spijt, pa.' Dat maakt indruk.

'Goed,' zegt zijn vader. 'Misschien heb ik er te makkelijk over gedacht. Je hebt gelijk, ik ben erbij.'

6

Toine heeft het zich gisteravond voorgenomen. Vandaag gaat hij Fleur vragen of ze mee naar de film wil. Hij had het in de pauze willen doen, maar hij is de cd met zijn nieuwe song vergeten en de jongens moeten hem hebben. Het is een liefdesliedje. Eigenlijk gaat het helemaal over Fleur.

'Ik race even naar huis,' zegt hij en hij rent de school uit, de fietsenstalling in. Hij wil zich over zijn fiets buigen als hij door het raam een meisje aan ziet komen. Toines hart staat stil. Dat is Fleur! Nou kan hij haar meteen vragen. Zij ziet hem ook, want ze blijft staan. Toine wil rechtop gaan staan, maar ze draait zich om en loopt weg. Hij kijkt haar na. Ja, ze loopt echt weg. Ze durft haar fiets niet eens te pakken. Ze voelt vast dat hij haar zou aanspreken en dat wil ze blijkbaar niet. Wat een afgang! Hij wilde nog wel met haar daten. Goed dat hij niks heeft gevraagd. Hij had totaal voor gek gestaan. Ze is voor hem weggelopen, net als hij voor Bregje. Wat een domper! Hij heeft meteen geen zin meer om zijn song te gaan halen. Hij heeft nergens meer zin in. Het idee dat hij bijna een blauwtje heeft gelopen. Wat moet hij nog met die song, hij gaat over de liefde... Shit!

'Ik baal als een stekker,' zegt Robert als Toine thuiskomt.

'Ik ook.' Toine smijt zijn rugtas op de grond. 'Dat komt dus goed uit.' Hij wil meteen naar zijn zolder lopen.

'Die Fleur moet je niet, hè?' zegt Robert.

Toine draait zich om. 'Hoe weet jij dat?'

'Man, dat zie je van een kilometer afstand. Kijk maar eens in de spiegel.'

'Nou, goed gezien dan,' zegt Toine.

'Ze heeft zeker al verkering,' zegt Robert.

'Weet ik het,' zegt Toine. 'Het is klaar, over en uit.'

'Nou, met paps *lover* nog niet,' zegt Robert. 'En het zit er niet in dat het voorlopig stopt met die twee. Ze heeft de afspraak verzet, dat hoorde ik van mama. Ze kan maandagavond zogenaamd niet.'

'Wat een smiecht,' zegt Toine. 'Wanneer komt ze nu?'

'Over twee weken,' zegt Robert. 'Dat zegt ze tenminste.'

'Zo,' zegt Toine. 'Dus het gaat nog twee weken door tussen die twee?'

'Wat doen we?' Robert kijkt Toine aan. 'Vertellen we het nu aan mama?'

'Volgens mij kunnen we beter wachten,' zegt Toine. 'Die paar weken kunnen er ook nog wel bij.'

'Mama kan het nu wel hebben,' zegt Robert. 'Ze heeft een acht voor dat tentamen. Ze kan niet meer stuk.'

'Nou, als ze dit hoort, wordt ze gek. Wat denk je dat er dan gebeurt, man?'

'Ja, dat wordt heftig,' zegt Robert. 'Maar dat moet dan maar.'

'Birgit is volgende week jarig,' zegt Toine. 'Ik wil haar verjaardag niet verpesten.'

Robert knikt. 'Daar zit wat in. Afwachten dan maar.'

Toine gaat zijn zoldertrap op.

'Je gaat drummen,' lacht Robert. 'Nou, dan weet ik wel hoe het met mijn broer is.'

Toine zegt niks terug. Alleen zijn drumstel kan hem nu nog redden.

De hele familie zit 's ochtends aan het ontbijt als Toine beneden komt.

'Ik moet zo weg,' zegt hij. 'Ik eet onderweg wel een appel.' Voor schooltijd moet hij nog even langs Pierre. Hij moet zijn wiskundeopgaven overschrijven, daar is hij gisteren niet aan toegekomen.

'Moet je niet eten dan?' vraagt zijn moeder.

'Hij heeft liefdesverdriet,' zegt Robert. 'Die *chicka* moet hem niet.'

'Wat nou?' zegt Toine. Echt Robert weer, die moet alles altijd zeggen.

'Dat vind ik zielig voor je.' Birgit geeft Toine een kus.

'Zo zielig is het niet,' zegt Toine. 'We hadden nog geen verkering.'

'Dat vind ik ook,' zegt zijn vader. 'Er zwemmen nog meer vissen in de zee.'

'O ja, pa?' Robert kijkt zijn vader aan. 'Is dat zo? Daar weet jij alles van, hè, pa?'

Toine geeft hem gauw een trap onder de tafel. Robert houdt meteen zijn mond.

'Tot vanmiddag.' Toine gaat de deur uit. 'En eh...' Hij gebaart naar zijn broer dat hij zijn mond moet houden. Robert steekt twee vingers omhoog.

Wat een gast is het toch. Toine moet wel lachen om zijn broer. Hij doet altijd zo stoer. Bijna had-ie het verraden. Toine snapt het wel. Zelf vindt hij het ook moeilijk. Wat nou 'er zijn nog meer vissen in de zee'? Dat wil hij van iedereen horen, maar niet van zijn vader. Zowat bij alles wat hij zijn vader hoort zeggen, denkt hij aan Angela. En zijn moeder heeft echt niks door. Die valt pas hard als het uitkomt. Zouden zijn ouders het redden?

Terwijl hij de straat uit fietst, denkt hij eraan hoe het zal zijn als zijn ouders uit elkaar gaan. Hij krijgt meteen een zwaar gevoel in zijn maag.

Toine komt lachend het wiskundelokaal uit. Heel verstandig dat hij vanochtend nog even langs Pierre is gegaan om z'n wiskundesommen over te schrijven. Hun leraar wilde weten of ze hun huiswerk hadden gemaakt. 'Ik neem een steekproef,' zei hij en hij wees Toine aan. 'Laat je schrift maar zien.'

Meneer Blok had het duidelijk niet verwacht. 'Keurig jongen, helemaal in orde.' Hij maakte een aantekening in zijn boekje.

'Ik heb het aangevoeld,' zegt Toine.

'Ja ja, onze drummer is paranormaal begaafd,' zegt John lachend.

Als Toine de aula in loopt, ziet hij Fleur staan. Hij had er de hele ochtend niet meer aan gedacht, maar nu krijgt hij toch weer een rotgevoel.

'Hé, daar staat je prinses,' zegt Pierre. 'Moet je niet naar haar toe? Ze kijkt wel lief naar je, hoor.'

'Ja,' zegt John. 'Volgens mij is ze verliefd op je. Als je wil, heb je over een minuut verkering.'

Je moest eens weten, denkt Toine. Hij wil een colaatje halen, maar dan bedenkt hij ineens dat zijn geld nog in zijn jaszak zit. Hij loopt de aula uit.

'Toine!' hoort hij als hij op de gang loopt. Het is een meisjesstem. Toch niet Bregje, hè? denkt hij en hij draait zich om. Dan slaat zijn hart over. Daar staat Fleur. Heeft zij hem geroepen? Hij voelt dat hij een kleur krijgt. Maar Fleur wordt ook rood. Toine loopt naar haar toe. En daar staan ze, midden in de gang, tegenover elkaar. Toine voelt de spanning. En dan moeten ze alletwee lachen.

'Stom, hè?' zegt Fleur. 'Ik wou je iets vragen.'

'Nou, dat vind ik helemaal niet stom,' zegt Toine. 'Je bent me voor, ik wilde jou eigenlijk ook iets vragen.'

'Ik ben eerst,' zegt Fleur. 'Ik wou vragen of je een keer met me naar de film wilt.'

Wat gebeurt er? Toine heeft het gevoel alsof hij droomt. Ze wil met me naar de film!

'Wat toevallig,' zegt hij, 'dat wilde ik jou ook net vragen.'

Nu schieten ze weer in de lach. Toine heeft zin om haar op te tillen en in het rond te zwieren, maar hij houdt zich in.

'Nou, gaaf! Doen we,' zegt hij.

'Goed dan! Ik zie je nog wel.'

Voordat Toine er erg in heeft, is Fleur alweer weg. Ik heb een date! denkt Toine. En gisteren dacht hij nog dat ze hem niks vond. Ze is ook op mij! Wauw! Hij draait zich om. Fleur kijkt ook om. Toine steekt zijn hand naar haar op. Wat ben je mooi, zucht hij.

Toine heeft van de week steeds gekeken of hij Fleur zag, maar om de een of andere stomme reden liep hij haar telkens mis. Hij baalt dat hij niet meteen haar mobiele nummer heeft gevraagd. Hij móet haar vanavond zien. Soms is ze met haar groepje in het Kooltuintje. Maar voor hetzelfde geld gaan ze iets anders doen. Hoe komt hij daar nou achter? Toine denkt aan Kevin. Die weet het natuurlijk, want Kevin zit bij Fleur in het vriendengroepje! Hij heeft geen zin om het hem rechtstreeks te vragen, want dan valt het zo op. Hij verzint liever een smoes. Hij drukt Kevins nummer in.

'Ben jij het?' zegt Kevin. 'Heb je soms een zangeres gescoord?'
'Nee,' lacht Toine. 'Ik wou alleen even weten hoe je mijn song vindt.'
'O, heb ik dat nog niet gezegd?' zegt Kevin. 'Ik vind hem gaaf. Knap werk.'
'Nou, mooi,' zegt Toine. 'Misschien zie ik je vanavond nog in het Kooltuintje of hebben jullie andere plannen?'
'Nee, we zijn er,' zegt Toine. '*Bye*!'
Top, dat wou ik even weten, denkt Toine, dan ben ik er ook. Hij belt meteen naar Pierre, maar die heeft een verjaardag. 'Probeer John maar,' zegt hij.
Toine heeft wel pech, John kan ook niet. En hij heeft ook geen zin om alleen te gaan. Wie kan hij nog meer vragen? Hij moet aan Wouter denken. Wouter zit ook bij hen in de klas. Ze zijn niet echt dikke vrienden, maar ze gaan wel vaak samen naar het Kooltuintje. Ze houden alle twee van biljarten.
Toine toetst Wouters nummer in.
'Hi, ik heb zin om vanavond weer eens van je te winnen,' zegt Toine. 'Als je nog tegen me durft te spelen tenminste?'
Wouter begint hard te lachen. 'Bereid je maar vast voor, *mister*. Ik speel je onder de tafel.'
'Half tien in het Kooltuintje?' vraagt Toine.
'Yes!' roept hij als Wouter heeft opgehangen. Alles onder controle.

Toine komt hijgend het Kooltuintje binnen. Hij heeft het net gered. Hij had verwacht dat Wouter al op hem zat te wachten, maar hij is er nog niet. Er is nog helemaal niemand, ook niet van het groepje van Fleur. Het biljart is gelukkig vrij. Wouter zal zo wel komen. Toine pakt zijn keu en begint te spelen. De eerst stoot is helemaal mis. Als hij zo doorgaat... Hij probeert het nog eens, maar hij maakt de ene misser na de andere. Wouter zou weleens gelijk kunnen krijgen dat hij hem in gaat maken. Hij kan zich totaal niet concentreren, dat heeft hij nog nooit gehad. Zelfs niet voor een optreden. Hij was de hele middag al een beetje maf. Het is ook zo spannend om Fleur te zien. Vanavond moet het gebeuren. Fleur heeft de eerste stap gezet, nu is hij aan zet. Als hij er nu niks van bakt, is hij wel een *megaloser*.

Waar blijft Wouter eigenlijk? Hij kijkt op zijn mobiel, maar er is geen bericht.

'Hai!' hoort hij achter zich. Is dat Fleur? Als hij zich omdraait, ziet hij Debby staan.

'Hai,' zegt Toine. 'Heb jij Wouter gezien? We zouden gaan biljarten, maar hij is er nog niet.' Niks voor Wouter, die is altijd heel stipt... 'Ah!' roept hij als de deur opengaat. 'Daar heb je hem!' Hij wijst op zijn horloge. 'Je bent te laat, gozer, dat kost je punten.'

'Ik heb een heel goede reden,' zegt Wouter stralend. Ze letten helemaal niet meer op Debby. 'Kijk eens!' Wouter pakt zijn mobiel en laat een foto zien.

'Wie is die *chicka*?' vraagt Toine.

'*Cute*, hè?' zegt Wouter. 'En ze zoent lekker...'

'Hij wel.' Toine geeft zijn vriend een stomp tegen zijn borst.

Wouter pakt een keu en slijpt het puntje. 'Ik zal jou eens even inmaken.'

Toine lacht. Hij kijkt naar de deur. Debby zit bij haar groepje, Jordi en Kevin zijn er ook. Alleen Fleur is er nog niet. Stel je voor dat ze niet komt. Net op dat moment gaat de deur open. Daar is ze! Toines hart bonkt in zijn keel. Hij steekt zijn hand op. Hij voelt dat hij kleurt, maar Fleur wordt ook rood.

'Jij mag, *mister*,' zegt Wouter.

'Eh... ja, natuurlijk.' Toine probeert zich op het spel te concentreren. Af en toe kijkt hij stiekem Fleurs kant op. Wat sta je hier nou? denkt hij. Ga naar haar toe. Ben je daarvoor naar het Kooltuintje gekomen, om haar te bespieden? Maar ik kan Wouter toch niet laten staan?

'Sorry.' Wouter krijgt een telefoontje. Het is blijkbaar z'n nieuwe aanwinst, want hij vergeet Toine helemaal. Dat komt hem wel goed uit. Hij wil naar Fleur toe gaan, maar er is ruzie in het groepje. Toine vangt vaag iets op over Melissa die met Debby's moeder zou meerijden naar de auditie. Wouter is alleen maar aan het bellen. Toine gaat aan de bar staan. Fleur moet hem kunnen zien. Kijk nou hierheen? denkt hij. Zodra ze zijn kant op kijkt, gebaart hij dat ze moet komen. Maar hij heeft meteen spijt. Zo doe je dat toch niet. Dat gebaar! Hij lijkt wel een of andere macho. Maar Fleur staat op en komt naar hem toe. Wauw! denkt Toine. Nu of nooit.

'Wat wil je drinken?' vraagt hij. Zelf heeft hij een biertje in zijn hand.

'Eh... geef mij maar een breezer.'

'Een breezer,' zegt Toine tegen de barman.

'Alsjeblieft.' Toine geeft haar het flesje. Wat ben je lief, denkt hij. Hij raakt even haar hand aan. De vlammen slaan uit hem.

'Proost.' Toine tikt tegen haar flesje.

'Kom je nog eens?' wordt er geroepen. Shit! denkt Toine. Hij was Wouter helemaal vergeten.

'Oh, ik moet weer aan de bak,' lacht Toine. 'Of wil je meedoen?'

'Ik kan niet biljarten,' zegt Fleur.

'Als je wilt, kan ik het je leren,' zegt Toine.

'Dit is Wouter.' Hij stelt zijn vriend voor.

'Hoi,' zegt Fleur. 'Ik ben Fleur.'

'Zoiets dacht ik al,' zegt Wouter lachend.

Hè, ja, denkt Toine. Hou je er even buiten, man. 'Fleur wil leren biljarten,' zegt hij.

'O,' zegt Wouter.

'Daar heb je Huib,' zegt Toine. 'Moet jij die niet spreken?' Als Wouter zich er toch mee wil bemoeien dan weet hij nog wel iets. Hij geeft Wouter een knipoog.

'Heel goed van je,' zegt Wouter en hij loopt weg.

'Kijk,' zegt Toine, 'zo doe je dat.' Hij doet Fleur voor hoe ze de keu vast moet houden en daarna stoot hij een bal weg. Dan geeft hij de keu aan Fleur. 'Nou jij.'

'Dat durf ik niet,' zegt Fleur. 'Zo meteen komt er een gat in het laken.'

'Ik help je.' Toine legt zijn hand ook op de keu, tegen haar hand aan en dan buigt hij zich over haar heen. Hij merkt dat Fleur het fijn vindt. Hij houdt zijn wang vlak bij haar wang.

'Wat ruik je lekker,' zegt Toine.

Fleur lacht verlegen.

'Toe maar,' zegt Toine.
Fleur stoot, maar de bal schiet de verkeerde kant op. Nu moeten ze alle twee lachen.
'Heel knap voor de eerste keer,' zegt Toine. Ze kijken elkaar aan zonder iets te zeggen. De muziek staat keihard en iedereen zit te praten, maar Toine ziet alleen Fleur. Je bent bij me, denkt hij. Je bent vlakbij me.
'Mooie ogen heb je,' zegt hij.
'Jij ook,' zegt Fleur.
Toine streelt zachtjes haar wang.
'Weet je dat ik jou al heel lang leuk vind,' zegt Toine.
'Ik jou ook,' zegt Fleur. 'Al vanaf de brugklas.'
Wat? En hij twijfelde nog wel of ze hem leuk vond! 'Had ik dat maar eerder geweten,' zegt Toine.
'Wat dan?' vraagt Fleur.
'Dan eh...' Toines gezicht komt steeds dichterbij. 'Dan had ik dit al veel eerder gedaan.' En hij drukt zijn lippen op haar mond en dan zoenen ze.

Meestal sluipt Toine de trap op als hij 's nachts thuiskomt, maar nu loopt hij fluitend omhoog. Hij is ook zo gelukkig! De verkering is echt aan. Van biljarten is niet veel terechtgekomen, maar ze hebben wel gezoend. Toine proeft nog steeds Fleurs lippen. Wat zijn ze zoet! Hij wist niet dat het bestond. Hij heeft haar net thuis gebracht. Fleur kletste onderweg aan een stuk door over Melissa. Ze is zo trots dat haar vriendin in een clip mag dansen. Toine vindt die verhalen wel schattig. De lieve manier waarop Fleur over haar vriendin praat, ontroert hem. Ze gunt het haar echt. Hij heeft zich bij een meisje nog nooit zo vertrouwd gevoeld. Bijna was hij over zijn vader en Angela begonnen.
'Wat maak jij een herrie!' Robert komt zijn kamer in.
'Speciale omstandigheden,' zegt Toine.
'Ik ben ook net thuis,' zegt Robert.
Toine gebaart dat Robert de deur dicht moet doen, anders worden hun ouders wakker.
'Hou maar op, ik zie het al,' zegt Robert. 'Ze wil je dus wel.'

‘En hoe!’ zegt Toine stralend.

Robert zucht. ‘Echt weer dat wijvengedoe. Aantrekken, afstoten. Jij liever dan ik.’

‘Zo is Fleur niet,’ zegt Toine.

‘Nee nee,’ grinnikt Robert. ‘Wacht maar tot ze je ineens dumpt. Wat krijgen we nou?’ Ze horen de voordeur. Ze doen de deur van de kamer een stukje open. Die voetstappen kennen ze.

‘Pa,’ fluistert Robert.

‘Zo,’ zegt Toine zachtjes. ‘Dat gaat lekker zo. Ik wou dat die Angela hem dumpte.’

Beneden horen ze hun vader de slaapkamer ingaan.

‘Nog twee weken, pa,’ zegt Robert. ‘En dan is het afgelopen met je vunzige feestjes.’

Het zit Toine ook niet lekker. Hij wist niet eens dat zijn vader weg was. Op zaterdagavond! Hun moeder slaapt natuurlijk allang.

‘Hoe komt hij daar nou mee weg?’ vraagt Toine.

‘Bijeenkomst van zijn jaarclub,’ zegt Robert. ‘Ja, die jaarclub van pa is wel *close*, die zien elkaar wel erg vaak.’

‘En zo lang ook,’ zegt Toine.

‘We pakken hem. Welterusten.’

Robert gaat naar zijn kamer. Toine heeft even een dip, maar zodra hij aan Fleur denkt, wordt hij weer blij. Hij heeft een sms’je van Pierre gekregen.

LEKKER GEBILJART?

GEZOEND, ZUL JE BEDOELEN, sms’t hij terug.

7

Hèhè, wat kan die vent zeuren. Toine dacht dat die pauze nooit zou komen. Hij loopt als eerste de klas uit. Zijn vrienden gaan hem achterna.

Pierre geeft John een por.

'Waar gaan we zitten?' vraagt John.

'In de redactiekamer maar,' zegt Pierre.

'Hoezo?' vraagt Toine.

'We zouden toch vergaderen?' zegt Pierre. 'Je hebt je e-mail toch wel gecheckt? Pierre heeft iets te bespreken.'

Toine schrikt. 'Nu?' Hij heeft met Fleur afgesproken.

'Ja, dat moet nu. Wie is hier nou onze manager?'

Toine baalt. Na schooltijd kan hij ook al niet met Fleur afspreken, want Birgit is jarig.

'Daar loopt je prinses.' John wijst naar buiten. 'Zeg maar dat je niet kan.'

Toine wil naar Fleur toe gaan als ze hard beginnen te lachen. 'Dit was een test. Die *chicka* is nog belangrijker dan de band, jongens, zagen jullie dat?'

'Wat zijn jullie erg! Dat ik daar nog intrap.' Toine gaat naar buiten. Hij straalt als hij Fleur ziet. Hoe ze daar staat, zo sexy! Dat is mijn vriendin, denkt hij trots en hij geeft haar een kus. 'Je hebt toch geen zorgen, hè?'

'Eh...niet echt,' zegt Fleur. 'Ik had net een gesprek met Jordi. Hij maakt zich druk over Melissa. Bij de studio is ze een of andere danser tegengekomen. Jim heet hij, en daar is ze nu op.'

'Dat lijkt me toch niks om je zorgen over te maken,' zegt Toine lachend.

'Jordi denkt dat hij fout is,' zegt Fleur.

'Heb je hem al gezien?'

Fleur schudt haar hoofd.

'Nou dan?' zegt Toine. 'Misschien valt het wel heel erg mee.' Hij kust haar.

'Ik vond je drumsolo gisteren zo gaaf!' zegt Fleur. 'Je hebt echt talent, weet je dat wel?'

Toine lacht verlegen. Hij had Fleur meegenomen naar zijn studio op zolder.

'Nou moet je mijn kamer ook zien,' zegt Fleur. 'Zullen we vanmiddag een dvd kijken bij mij thuis?'

'Birgit is jarig,' zegt Toine. 'Ze geeft een feestje. Ik heb beloofd om te helpen. Of wil je mee?'

'Gaaf!' zegt Fleur. 'Dan zie ik je ouders ook.'

'Alleen mijn moeder,' zegt Toine. Zijn vader moet een lezing houden. Hij komt vanavond pas laat thuis. Robert denkt dat het een smoes is, maar dat gelooft Toine niet. Dat zou zijn vader nooit flikken op Birgits verjaardag.

'O, je ouders zijn gescheiden?' zegt Fleur.

Nog niet, denkt Toine, maar hoe lang zal het nog duren voor hij daar 'ja' op moet zeggen?

'Wat is er?' Fleur pakt zijn hand.

'Dat vertel ik je nog weleens,' zegt Toine.

'Wordt er woensdag nog gerepeteerd?' vraagt Pierre als ze de school in lopen.

'Waarom niet?' vraagt Toine.

'Nou eh, het kan zijn dat jij geen tijd hebt,' zegt Pierre. 'Je hebt het zo druk met je liefje.'

'Laat hem nou maar even,' zegt John. 'Ik geef hem twee weken en dan is het uit.'

'Ik denk het niet,' lacht Toine. 'Ik wilde juist vragen of Fleur in de vakantie ook een paar dagen naar Terschelling komt. Er zijn toch genoeg *chicka's*, dan kan zij er ook wel bij.'

'Nee hè?' zegt Pierre. 'Dat noem ik nou klef!'

'Laat haar maar komen,' lacht John. 'Dan is het allang uit.'

'Kijk eens.' John wijst naar Bregje, die Fleur nakijkt. 'Als blikken konden doden...'

'Wat is die jaloers,' lacht Pierre. 'Ja *mister*, vanaf nu zul je je kopij op tijd moeten inleveren, net als normale mensen.'

'Nee hoor, onze Bregje is een doorzetter. Vanochtend heeft ze nog heel lief naar me gelachen.' Toine steekt zijn tong uit naar zijn vrienden.

Toine zit in de klas. Hij denkt aan Fleur. Hij vond het top dat ze een paar dagen geleden op Birgits verjaardag was. En Birgit vond het helemaal geweldig. Fleur was ook wel heel lief voor haar. Ze zei dat ze zelf ook wel zo'n zusje zou willen hebben. Hij merkte wel dat zijn moeder haar ook mocht. Logisch, ze is ook geweldig! Hij staart uit het raam. Staat Fleur daar echt bij het hek of verbeeldt hij het zich? Ja hoor, het is Fleur. Wat moet ze daar nou in haar eentje? Ze ziet er somber uit, er is vast iets gebeurd. Toine doet net of hij naar de wc moet en loopt de klas uit. Fleur is blijkbaar zo in gedachten verzonken dat ze Toine niet hoort aan komen.

'Hi!' Toine geeft haar een kus in haar nek.

'Hi!' zegt Fleur. 'Ik voel me zo raar. Ik begrijp het niet, zo heeft Melissa nog nooit tegen mij gedaan.'

'Wat is er dan gebeurd?' vraagt Toine.

'Ze kwam vanochtend naar me toe op het schoolplein en ze wilde vijftig euro van me lenen.'

'Vijftig euro?' vraagt Toine. 'Dat moet je maar hebben.'

Fleur knikt. 'Ik zei dat ik het niet had en toen liep ze kwaad weg. Ik zag haar naar de overkant lopen. Daar stond die Jim en toen reden ze samen weg op zijn scooter. En ze is er nog steeds niet.'

'Dat is zeker maf,' zegt Toine. 'Heb je haar gebeld?'

'Haar telefoon staat uit,' zegt Fleur. 'Ze doet steeds zo vreemd. Eerst dacht ik dat het door ons kwam, maar dat is niet zo.'

'Het komt wel goed,' zegt Toine. 'Maak je maar niet al te druk. Pierre heeft mij ook weleens laten stikken. Toen was hij helemaal *into* een of andere skater. Ik bestond ineens niet meer. Het gaat wel weer over. We doen allemaal weleens maf, toch?'

Fleur knikt. 'Ik ben zo blij met je.' Ze trekt Toine mee de fietsenstalling in en kust hem.

Toine dacht altijd dat verkering niet goed voor zijn muziek was, maar sinds hij met Fleur gaat heeft hij al drie nieuwe songs geschreven. 'Meesterwerken,' zei John.

‘Hoe flik je dat?’ vroeg Pierre. En die is nooit zo scheutig met complimentjes.

Toine weet het ook niet. Hij gaat zitten en de tekst rolt er zo uit. Nu zit hij ook weer achter zijn drumstel. Zal hij de laatste song nog een keer spelen? Hij kijkt op zijn horloge. Wat? Niks nog één keer spelen. Hij moet weg. Ze hebben vanavond met de vrienden van Fleur in de bioscoop afgesproken. Toine verheugt zich er nu al op. Fleur krijgt niet veel van de film te zien, daar zorgt hij wel voor.

‘Veel plezier!’ roept zijn moeder als hij de trap af stormt.

Birgit duwt hem haar vriendenboekje in zijn handen. ‘Ik wil dat Fleur erin schrijft.’

‘We gaan nu naar de bios,’ zegt Toine. ‘Dan raken we het misschien kwijt. Ik geef het haar morgen wel.’ Hij rent de deur uit.

Het ging sneller dan hij dacht. Als hij de bioscoop binnenloopt, is alleen Debby er. Ze komt meteen naar hem toe.

‘Hi,’ zegt ze. ‘Wat een gave oorring heb je.’

‘Super, hè?’ zegt Toine. ‘Vanmiddag gescoord.’

Hallo, denkt Toine. Kun je nog dichter bij me gaan staan? Hij kan helemaal in haar truitje kijken. Ze pakt zijn oorring en beweegt hem zachtjes heen en weer. ‘Doet het niet pijn?’

‘Nee hoor,’ zegt Toine. Ineens voelt hij haar borsten tegen zich aan. Hij voelt dat hij kleurt. Debby gaat maar door. Ze geeft hem ook nog een zoen in zijn nek. Wat moet ik hier nou allemaal mee? denkt Toine. Maar dan schrikt hij. Daar heb je Jordi. Hij maakt zich gauw los. Zo meteen denkt Jordi nog dat hij iets met Debby heeft. Nou, echt niet. Hij is totaal niet geïnteresseerd in andere meisjes. Hij is zijn vader niet! Voor hem bestaat er maar één meisje, en dat is Fleur. Als Jordi erover begint, legt hij het wel uit, maar Jordi zegt niks.

Toine ziet dat Fleur binnenkomt. Hij is het gedoe met Debby meteen vergeten. Fleur is blij hem te zien, maar ze heeft niet zoveel aandacht voor hem, dat komt door Jordi. Jordi maakt zich zorgen om Melissa, hij snapt niet waar ze blijft. Toine is blij als de film begint. Nu ben je helemaal van mij, denkt hij. Het licht is nog niet uit of ze beginnen te zoenen. Hij kan helemaal niet meer ophouden.

'Je bent zo lief,' fluistert hij in haar oor. Fleur vindt het ook fijn. Als het pauze is en het licht aan gaat, schrikken ze.

Met hun armen om elkaar heen lopen ze de zaal uit. Toine heeft het gevoel dat hij zweeft.

'Wacht even,' zegt Fleur en ze gaat de hal in.

Toine kletst even met Kevin. Als hij in de hal komt, staat Fleur naast Jordi. Ze ziet krijtwit. Wat is er met haar aan de hand? Hij gaat meteen naar haar toe.

'Melissa... Melissa is aan de XTC,' zegt ze. 'Ze is naar de Florida...'

'Wat?' Nu schrikt Toine ook. Het is dus wel heel ernstig met haar. Fleur is zich doodgeschrokken, ze zit er helemaal doorheen. Toine snapt het wel, het gaat wel over haar beste vriendin. Als hij zoiets over Pierre zou horen, zou hij zich ook doodschrikken. Hij laat Fleur maar even. Jordi heeft haar nu harder nodig. Moet je zien hoe hij eraan toe is. Jordi wil nu meteen naar de Florida. Dat joch is smoorverliefd op Melissa, dat heeft hij allang gemerkt.

'Toine?' vraagt Fleur. 'Wil je met ons mee naar de Florida? Jij bent achttien, wij komen er niet in.'

'Natuurlijk wil ik dat wel, maar eerst wil ik de film afkijken,' zegt Toine.

Hij moet van binnen lachen. Alsof hij ook maar iets van die film heeft gezien...

Na afloop rijden ze met z'n drietjes naar de Florida. Ze moeten een stuk door het bos. Toine merkt dat Fleur bang is. Zelf vindt hij het ook niet echt prettig. Het is pikdonker. Hij denkt aan een krantenbericht. Op dit pad is een jongen in elkaar geslagen. Ze hebben de daders nog niet gepakt. Stel je voor dat ze ineens opduiken. Ze moeten niet aan Fleur komen, want dan vermoordt hij ze. Gelukkig is het niet ver, de lichten van de Florida doemen al op. Het is behoorlijk druk. Toine komt er nooit. Het is een rottent, dat weet hij van Robert. Die is er geweest toen Donny draaide. Hé! Ineens bedenkt hij iets. Zei Robert niet dat Donny vanavond ook draaide? Ja, dat is zo. Daar kan hij dan mooi gebruik van maken als de portier moeilijk doet.

Ze sluiten achteraan in de rij. Jordi is heel gestrest.

'Het gaat echt wel lukken,' zegt Toine. 'Laat maar aan mij over.' Als ze aan de beurt zijn, laat hij zijn ID zien. 'Ik kom speciaal voor de DJ,' zegt hij. 'Don Donny is mijn neef.'

Die gezichten van Jordi en Fleur! Ze denken natuurlijk dat hij bluft, maar dat is niet zo.

De portier bekijkt zijn ID. 'Je heet anders niet hetzelfde,' zegt hij.

'Van mijn moeders kant,' zegt Toine.

'Jij mag naar binnen.' De portier wijst naar Jordi en Fleur die achter hem schuilen.

'Dit is mijn vriendin.' Toine doet een arm om Fleur heen. 'En dit is mijn jongere broertje. Als de portier Jordi niet door wil laten, haalt Toine zijn mobiel uit zijn zak. 'Ik bel Donny wel even,' zegt hij tegen de portier. 'Hij zou het voor me regelen.'

Fleur en Jordi worden rood. Die denken dat hij nu door de mand valt, maar als Toine de DJ heeft gesproken, geeft hij zijn mobiel door aan de portier.

Hèhè, ze mogen naar binnen. Toine moet lachen om Fleur. Ze gelooft echt niet dat hij de DJ kent. Maar ze ziet het vanzelf wel, want Toine gaat meteen naar hem toe. 'Hé gozer!' roept Donny verrast.

Terwijl Jordi en Fleur Melissa zoeken, maakt Toine een praatje met de DJ. Af en toe kijkt hij naar de dansvloer. Hij ziet Fleur staan. Nu ziet hij Jordi ook. Jordi kijkt naar Melissa en Jim die samen dansen. O o, denkt Toine als die twee ook nog gaan zoenen. Heftig voor je, Jordi.

Dat is het zeker. Jordi kan het helemaal niet aan. Hij rent in paniek naar buiten. Dit gaat mis, denkt Toine als Fleur Jordi achterna gaat en hij baant zich ook een weg naar buiten.

Als Toine buiten komt, rijdt Jordi al weg. Fleur wil ook op haar fiets springen.

'Laat hem maar,' zegt Toine. 'Je kunt hem toch niet helpen. Die voelt zich klote. Het is toch ook *fucking* hard. Hij is hartstikke verliefd op Melissa en dan zoent ze voor zijn neus met die Jim.'

Fleur is stomverbaasd dat hij doorheeft dat Jordi verliefd is op Melissa. Zelf heeft ze er nooit aan gedacht. Net pas, toen ze zag hoe hij naar Melissa keek, wist ze het ineens. Dat vindt hij nou zo lief aan Fleur en hij kust haar.

8

Het is al elf uur in de ochtend, maar Toine ligt nog in bed. Het was ook zo laat gisteravond. Hij is blij dat hij meeging naar de Florida. Als Fleur alleen was geweest, was het echt misgegaan. Ze wilde Melissa bij Jim wegtrekken. Dat had ze moeten doen, dan had ze vette ruzie gekregen. Alsof Jim dat zou pikken. En Melissa waarschijnlijk ook niet. Die twee stonden stijf van de drugs. Gelukkig luisterde Fleur naar hem. Daarna hebben ze nog samen gedanst. Het was zo romantisch! Ze hebben nog een tijdje voor haar huis staan zoenen. Hij kon gewoon niet wegkomen. Hij is echt nog nooit zo verliefd geweest.

Toine stapt uit bed en gaat onder de douche.

Vanmiddag moet hij basketballen. Helaas kan Fleur niet komen kijken, want ze heeft een afspraak met Debby. Nu moet hij tot vanavond wachten om haar weer te kunnen zien. Het lijkt wel een eeuwigheid.

Als hij heeft ontbeten, haalt hij zijn mobiel te voorschijn. I LOVE YOU, tikt hij in en hij verstuurt het sms'je naar Fleur.

'We zijn wel fanatiek, hè?' zegt Robert die stiekem over zijn schouder meeleest. 'Heb je het laatste nieuws al gehoord? Onze Angela komt maandagavond.'

'Overmorgen al?' vraagt Toine.

Robert knikt. 'Ik hoop niet dat je dan ook zo vaag bent,' zegt hij. 'Want het is wel de bedoeling dat we ze aanpakken.'

'Hoezo "ook vaag"?' vraagt Toine.

'Sorry,' zegt Robert. 'Je weet zelf niet hoe je hier rondloopt. Je denkt alleen maar aan die *chick* van je. Eigenlijk mag je haar zondag niet zien.'

Nu moet Toine lachen. 'Zeker net als voetballers voor de wedstrijd? Maak je maar niet druk, we pakken ze aan.'

Toine rent over het basketbalveld. Het gaat helemaal top! Hij heeft al twee keer gescoord, als enige. Jammer genoeg is Fleur er niet. Hij had het wel stoer gevonden als ze hem zo zag. De scheidsrechter fluit. Het is rust. Hun coach komt naar Toine toe. 'Jij bent wel in topvorm, jongen, volhouden hè?'

Toine pakt zijn handdoek en droogt zich af. Hij is echt kleddernat, maar niet voor niks. Ze staan voor en wel door hem!

Hij staat een beetje voor zich uit te staren als hij plots verward opkijkt. Is dat Fleur die eraan komt? Dat kan toch niet. Ze is met Debby aan het shoppen. Hij mag wel oppassen, want dit wordt toch wel erg.

Sjoerd stoot hem aan. 'Daar is je meissie.'

Dus toch! Toine kijkt verrast op. 'Je bent toch gekomen!' zegt hij blij. Hij wil haar kussen, maar wat is er met Fleur?

'Ik kom alleen zeggen dat het uit is,' zegt ze.

Wat? Toine wordt spierwit. Is dit een nachtmerrie of zo? 'Dat meen je niet,' zegt hij.

'Ik meen het,' zegt Fleur.

Toine raakt helemaal in de war. Dit moet een misverstand zijn. Hij steekt zijn arm naar haar uit.

'Nee, niet doen!' Fleur draait zich om en rent weg.

'Fleur!' Toine rent haar achterna, maar ze springt achterop bij Pieter. 'Fleur!' roept Toine. Als ze niet kijkt roept hij naar Pieter. 'Pieter, wacht!' Maar Pieter draait zich om en steekt zijn middelvinger omhoog.

Toine staat daar maar, terwijl Fleur allang uit het gezicht is verdwenen. Het is uit, denkt hij. Fleur heeft het uitgemaakt! Hoe kan dat? En vannacht was het nog zo fijn. Wat is er gebeurd? De scheidsrechter fluit, maar Toine hoort het niet. Hij weet niet eens meer dat ze midden in de wedstrijd zitten. Hij weet niks meer, alleen maar dat het uit is.

Toine fietst na de wedstrijd naar huis. Ze hebben met 3-2 verloren. Zijn coach was pissig op hem. Hij stond minstens drie keer vrij en hij heeft alle drie de kansen verprutst. Na de rust kon hij niet meer spelen. Hij is helemaal ingestort door het bericht van Fleur. Ze heeft het uitgemaakt, maar waarom dan opeens? Het maalt maar door zijn hoofd. Hij is zo in de war dat hij helemaal zijn fiets op slot vergeet te zetten als hij thuiskomt.

Gelukkig staat de auto er niet. Hij heeft geen zin om er met z'n moeder over te praten, dat maakt het alleen nog maar erger. Hij weet helemaal niet wat hij moet doen.

'Ik heb een heel spannend spel van papa gekregen,' zegt Birgit als hij binnenkomt. 'Doe je mee?' Ze rent naar de televisie.

'Nee,' zegt Toine. Hij bijt op zijn lip.

'Moet je huilen?' Birgit schrikt.

Toine haalt zijn schouders op. Hij wil naar boven lopen, maar Birgit houdt hem tegen. 'Je moet wel huilen.'

'Het is uit,' zegt Toine.

Robert komt net de kamer binnen. 'Nou? Heb ik het niet gezegd? Op een dag dumpt ze je. En waarom? Dat zei ze zeker niet.'

'Nee,' zegt Toine.

'Dat dacht ik wel. Dat weet ze zelf waarschijnlijk niet eens. Zo gaat het altijd met die meiden. Ze dumpen je ineens.' Zijn broer raast maar door, maar Toine hoort het niet. Hij ziet weer voor zich hoe Fleur daar stond.

'Ik snap het niet,' zegt hij. 'Ik begrijp er echt niks van.'

'Je moet meiden ook niet proberen te begrijpen,' zegt Robert.

Toine zit al een tijdje op zijn kamer als de bel gaat. Als het maar niet voor mij is, denkt Toine. Hij heeft echt in niemand zin.

'Toine! Er is iemand voor je!' roept Birgit onder aan de trap.

Nee hè, denkt Toine. Zo meteen is het Bregje die gehoord heeft dat het uit is. Hij hoopt het niet voor haar, want hij is echt niet in een goede bui.

Als hij beneden komt, ziet hij dat het Debby is. Wat komt die nou doen?

'Hoi,' zegt hij.

'Hi,' zegt Debby. 'Ik eh...ik kom namens Fleur. Ze heeft me gevraagd of ik even naar je toe wilde gaan. Balen trouwens dat het uit is.' Ze pakt zijn hand. 'Ik vind het zo rot voor je. Maar Fleur moest het wel uitmaken.'

'Waarom dan?' vraagt Toine. 'Ik snap er niks van.'

'Ze zat er al een tijdje mee,' zegt Debby. 'Ze was niet echt verliefd op je. Ik weet hoe dat voelt. Ik heb het zelf ook gehad met Pieter.'

'Dus ze heeft me belazerd?' zegt Toine. 'Nou, lekker dan.'
'Zo moet je het niet zien,' zegt Debby. 'Helemaal niet. Ze dacht dat ze verliefd was, maar eh... toen zag ze Brian vanmiddag weer en toen–'
'Brian?' vraagt Toine.
'Ja,' zegt Debby. 'Daar is ze heel lang mee geweest.'
'Ze heeft me nooit over hem verteld?' zegt Toine.
'Dat is nog te pijnlijk,' zegt Debby. 'Ze was kapot toen hij het uitmaakte. Ze wil hem heus niet terug, hoor, dat moet je niet denken. Maar toen ze hem zag, wist ze ineens weer hoe het voelt als je echt verliefd bent, snap je? Ik vind het echt zo klote voor je,' zegt ze als Toine zijn schouders ophaalt. 'Als je troost nodig hebt, ik heb een dvd die jij helemaal te gek vindt.' Ze noemt de titel.
'Die kun je hier toch helemaal niet krijgen?' zegt Toine verbaasd. 'Hij is alleen in de States te koop.'
'Mijn vader woont in L.A.,' zegt Debby. 'Hij heeft hem gestuurd. Ik ben vanavond thuis en morgen ook. Je kan gewoon langskomen.'
'Misschien moet ik toch nog met Fleur praten,' zegt hij. 'Volgens mij was ze wel verliefd. Het kan dat het iets heel anders was wat ze voor die Brian voelde. Dat hoeft heus niet minder te zijn.'
'Ze wil niet praten,' zegt Debby. 'Absoluut niet. Het is uit, Toine, accepteer het.'
Toine schudt zijn hoofd. 'Dat kan ik nog niet. Het was zo te gek. Vannacht waren we nog samen in de Florida. We hebben nog heel innig gedanst Ze is in de war geraakt door die Brian. Dat heb je met exen. Weet je wat ik doe? Ik geef ons nog een kans. Ik wacht haar maandagochtend op. Niet vertellen hoor, dan schiet ze misschien in de stress.'
'Ik hou mijn mond,' zegt Debby. 'Dan ga ik maar. Sterkte hè? En je weet bij wie je terecht kunt.'

Als Toine beneden komt, haalt zijn vader een pizza uit de oven. Dat is ook zo, zijn moeder zou Birgit ophalen. Ze gaan samen naar een feestje. Ze zijn met z'n drietjes. Dat was hij helemaal vergeten. Hij heeft de hele tijd op zijn kamer gezeten met zijn mobiel in zijn hand, maar hij heeft Fleur toch maar niet gebeld. Hij wacht wel tot maandag. Het móet goedkomen, dit kan helemaal niet!

'Hoe gaat het?' vraagt Robert als ze aan tafel zitten. 'Heb je al zelfmoordplannen?'

'Ja, je bent leuk,' zegt Toine geïrriteerd. Nou weet zijn vader het dus ook.

'Is er iets?' vraagt zijn vader.

Dank je wel broer, denkt Toine. Nu moet hij het nog vertellen ook.

'Fleur heeft hem gedumpt,' zegt Robert. 'Ik heb je gewaarschuwd, waar of niet? Meisjes zijn niet te vertrouwen.'

'Nou nou!' Hun vader legt zijn mes en vork neer. 'Wat hoor ik? Heeft mijn zoon zo weinig vertrouwen in de liefde?'

'Niet weinig,' zegt Robert. 'Totáál geen vertrouwen, pa.'

'Dat is veel te negatief,' zegt zijn vader. 'Dan moeten we daar toch eens over praten.'

'Met jou zeker?!' Robert vliegt op.

'Inderdaad,' zegt zijn vader.

Anders zou Toine Robert een trap hebben gegeven dat hij zijn mond moest houden, maar nu kan hij er zelf ook niet tegen. Die belerende toon van hun vader. Ga preken, nou goed!

'Hoe komt het dat je zo'n negatieve kijk op de liefde hebt?' vraagt zijn vader.

'Wat denk je?' zegt Robert. 'Denk eens goed na.'

'Hoe komt hij daar nou bij, hè, pa?' gaat Toine door. 'Jij geeft ons juist zo'n goed voorbeeld.'

Hun vader kijkt hen aan. 'Wat bedoelen jullie?'

Toine is woedend. Wat een schijnheilig gedoe is dit, zeg! Hij is het helemaal zat. Hij kijkt Robert aan. Zo te zien denkt zijn broer er precies hetzelfde over.

'Mama en ik zijn al twintig jaar getrouwd,' zegt hun vader.

'Ja, getrouwd,' zegt Robert. 'Dat is dan ook alles, hè, pa? Zo kan ik het ook.'

Hun vader kijkt hen aan.

'Zegt de naam Angela je iets?' vraagt Toine.

Hun vader verbleekt, maar dan herstelt hij zich. 'Wat is er met Angela?'

'Je hoeft niet te liegen, pa,' zegt Toine. 'We weten dat je mama bedriegt.'
'Waar heb je het over?'
'Over al die vergaderingen die in het huis van Angela plaatsvinden,' zegt Robert.
'Het is niet wat jullie denken,' zegt hun vader. 'Angela en ik mogen elkaar heel graag. We kunnen heel goed met elkaar praten. Tussen ons gebeurt niks wat mama niet zou mogen zien.'
'O nee?' vraagt Toine.
'Nee,' zegt zijn vader. 'Jullie halen van alles in je hoofd, maar dat is niet nodig. Ik weet niet hoe jullie aan die informatie komen, maar tussen Angela en mij is er alleen vriendschap.'
'Dat noem jij vriendschap?' zegt Toine. 'Als ik zo heftig met een meisje zoen, ben ik wel behoorlijk verliefd op haar. Je vrat haar zowat op in haar badjas. Ik denk niet dat mama dat had willen zien.'
'Dat weet ik wel zeker.' Robert smijt zijn vork neer. 'En dat is vanaf nu afgelopen, anders krijgt mama het te horen.'
Hun vader is sprakeloos.
'Mooi hè, de liefde?' zegt Robert. 'Zeggen dat je moet werken en dan met een ander naar bed gaan.'
'Een ander?' zegt Toine. 'Was het maar een ander. De tennisvriendin van je vrouw!' Hij voelt dat hij nu heel emotioneel wordt. Alle woede van de laatste tijd komt eruit.
'Nou heb je niks te zeggen, hè?' zegt Robert. 'Maar ik denk dat mama daar wél iets op te zeggen heeft.' Hij heeft zijn mobiel al in zijn hand.
'Nee, niet doen,' zegt zijn vader. Zijn stem slaat over. 'Het spijt me. Ik had dit niet mogen doen, maar de laatste tijd ging het niet goed tussen mama en mij. Ze had alleen maar aandacht voor haar studie en–'
'Ah,' valt Robert hem in de rede. 'We zouden haast medelijden met je krijgen.'
'Mama stort zich ook niet zomaar op haar studie,' zegt Toine.
Hun vader zegt niks. Hij kijkt voor zich uit. Toine heeft hem nog nooit zo gezien.

'Jullie hebben gelijk,' zegt hun vader. 'We hebben de laatste tijd langs elkaar heen geleefd. Ik ben gevlucht voor de problemen. Maar het zat mij ook niet lekker, dat verzeker ik jullie. Ik had met mama moeten praten. Maar het is nog niet te laat, we zijn nog bij elkaar. Misschien... Misschien moeten we een paar dagen met z'n tweeën weggaan.'

Hij kijkt de jongens aan als de telefoon gaat.

'Ha, ma,' zegt Robert. 'Nee, we zitten hier prima. Pa heeft een voortreffelijke pizza gebakken. Hij heeft trouwens een verrassing voor je. Nee, dat moet hij je zelf maar vertellen.' Robert geeft de hoorn aan zijn vader.

'Ha Sjanna,' zegt hij. 'Ja, ik had het al een tijdje in gedachten. We zijn de laatste tijd zo druk geweest. Ik ben maar aan het werk en jij hebt het ook druk gehad met je studie. Maar nu ben je geslaagd. Ik dacht, misschien moeten we samen een paar dagen weggaan. Naar Rome of zo. Een goed idee, hè? Zullen we het vanavond bespreken?'

'Mama vindt het een goed idee,' zegt hij als hij ophangt.

'Je krijgt een tweede kans, pa,' zegt Robert.

Hun vader knikt. 'Dank jullie wel.' Hij haalt zijn mobiel uit zijn zak. 'Hoi,' horen ze hem zeggen. 'Ik moet je spreken. Nee, het kan niet door de telefoon. Inderdaad, het wordt een moeilijk gesprek, maar het moet gebeuren. Ik kom eraan.' Hij staat op en kijkt Robert aan. 'Robert, jongen, ik zal je laten zien dat je wel in de liefde kan geloven. Vertrouw me.'

'Wat denk jij?' vraagt Toine als hun vader weg is.

'Ik denk dat het goed komt,' zegt Robert.

Toine zucht opgelucht. Als Robert dat zegt.

9

Toine wist niet hoe hij het weekend moest doorkomen. Gisteren heeft hij Fleur een paar keer gebeld, maar ze drukte hem telkens weg. Hij is blij dat het maandag is. Hij gaat zo naar het viaduct en dan wacht hij haar op.

Als hij beneden komt, zit zijn vader achter de computer. Zijn moeder kijkt over zijn schouder mee. Ze gaan een reisje boeken op internet. Toine is blij dat ze samen weggaan. Je kunt nu al merken dat het goed voor ze is. De sfeer is anders.

Hij stopt een boterham in zijn mond en vertrekt. Hij wil niet dat Fleur al voorbij gefietst is als hij bij het viaduct aan komt.

Toine staat al een poosje bij het viaduct te wachten, maar Fleur is nog niet langsgekomen. Zou Debby het hebben doorverteld? Zo meteen heeft ze expres een andere weg genomen en dan staat hij hier voor niks.

Toine wil net weggaan als Fleur eraan komt.

'Fleur!' Hij rijdt naar haar toe. 'Ik wil met je praten, alsjeblieft.'

'Oh ja? Fijn voor je, maar ik niet met jou.' Ze rijdt keihard door.

Toine rijdt haar achterna. Maar ergens midden op de weg blijft hij staan. Waar is ze? Hij tuurt de straat door, maar hij is haar kwijt. Shit! Voor het eerst is hij kwaad. Dat ze het heeft uitgemaakt, dat begrijpt hij nog wel enigszins, maar ze wil niet eens met hem praten! Robert heeft gelijk, ze heeft hem gebruikt. Als hij even later het schoolplein op rijdt, komt Debby naar hem toe. Daar krijgt hij ook wat van. Het zal wel lief bedoeld zijn, maar hij heeft nu geen zin in haar. Hij heeft in niemand zin, hij voelt zich klote.

Het is al een paar dagen uit met Fleur, maar Toine snapt er nog steeds niks van. Hij merkt het op school ook. Ze mijdt hem. Waarom doet ze dat? Het lijkt wel of ze iets te verbergen heeft. Misschien is dat ook wel zo, misschien heeft ze toch nog contact met haar ex gehad, ook toen ze met hem ging. Dan is het wel duidelijk waarom ze voor hem wegreed, ze heeft hem bedrogen. Ze heeft last van haar geweten. Toine denkt er de hele les aan. Zou het echt zo zijn? Hij denkt aan Kevin, die kent Fleur heel goed. Hij zou het moeten weten. Als hij hem in de pauze buiten op zijn BMX ziet rijden, gaat hij naar hem toe.

'Ik eh... Ik wil je iets vragen,' zegt Toine. 'Het gaat over Fleur. Ze heeft het zaterdag uitgemaakt.'

'Zoiets heb ik gehoord,' zegt Kevin. 'Ik weet niet wat je wilt weten, maar ik bemoei me er niet mee. Ik ga er niet tussen zitten. Dat moeten jullie samen uitzoeken.'

'Hoe kan dat nou? Ze wil niet eens met me praten,' zegt Toine.

'Daar zal ze haar redenen wel voor hebben,' zegt Kevin.

'Die wil ik juist weten,' zegt Toine.

'Ik zei toch dat ik me erbuiten hou.' Kevin stapt op zijn fiets.

Toine loopt weg. Van Kevin wordt hij dus niks wijzer. Hij kan haar maar beter uit zijn hoofd zetten, hij komt er toch nooit achter hoe het precies zit.

De komende tijd gaat Toine zich helemaal op zijn muziek storten. Hij wil niet meer aan Fleur denken, maar dat valt hem zwaarder dan hij had gedacht. Elke keer als hij haar ziet, voelt hij dat hij nog om haar geeft. Het vreemde is dat Fleur soms ook zijn kant op kijkt. Is dat soms wat Robert bedoelt met aantrekken en afstoten? Hij vindt het niks voor Fleur, maar wat weet hij eigenlijk van haar? Tijdens de repetitie van de band heeft hij het nog een keer aan Kevin gevraagd, maar hij wilde niks loslaten. 'Ze heeft niks met een ex.' Dat is het enige wat hij zei.

'Neem toch een ander,' zegt Pierre als hij Toine naar Fleur ziet kijken. 'Die Debby kun je zo krijgen.'

Dat weet hij zelf ook wel, ze hangt de hele tijd maar om hem heen. Er gaan al praatjes rond dat ze iets hebben. *Not* dus. Het irriteert hem steeds meer. Nu komt ze er ook weer aan. Ze heeft echt een bord voor haar kop. Hij laat wel merken dat hij haar niet wil. Hij fietst expres een andere route naar school, zodat hij haar niet tegenkomt. En hij is al een paar keer ergens anders gaan staan als ze eraan komt. Waar wacht ze nou op? Dat hij zegt dat ze op moet hoepelen? Het is dat Femke zijn moeders vriendin is, anders was dat allang gebeurd. Maar het moet niet gekker worden, want dan zegt hij het wel.

'Als ze zich aan mij zo zou opdringen dan wist ik het wel,' zegt John.

'Help!' roept Pierre. 'Zoiets dacht ik al. John is verliefd op Debby.'

'Sst...' zegt John.

'Hi.' Debby slaat een arm om Toine heen. 'Ik heb een vraagje.'

Kom maar op, denkt Toine. Zolang je geen verkering vraagt, vind ik het best.

'Mag ik een keer kijken als jullie repeteren met de band?'

Ook dat nog! denkt Toine. Dat gaat echt niet door. Nu is hij het helemaal zat. Hij wil het haar zeggen, maar Pierre stoot hem aan en wijst stiekem naar John.

'O, eh... mij best,' zegt Toine zo onverschillig mogelijk. 'En John vind het ook heel gezellig, toch John?'

John krijgt een vuurrode kop. Debby merkt het niet eens, die let alleen maar op Toine.

Tijdens de repetitie bekvechten John en Pierre over het tempo van een nummer.

'Zeg jij eens wat, manager.' Ze kijken Toine aan.

'Eh...wat?' Toine was er even niet bij met zijn gedachten. Robert sms't net dat er een mailtje van hun ouders is binnengekomen. *Alles uitgepraat, jullie ouders leven nog lang en gelukkig*, mailde zijn vader vanuit Rome.

'Wat sta je daar nou?' vraagt Pierre. 'Vind jij ook niet dat deze song sneller moet?'

'Uitproberen, hè?' zegt Toine. Ze beginnen te spelen.

'Bij dit nummer mis ik ook een zangeres,' zegt John.

Debby zit vlak voor Toine. Ze steekt haar duim naar hem op. Arme John, denkt Toine. Hij kijkt maar naar haar, maar Debby heeft echt geen oog voor hem.

Ze zitten midden in een nummer als er een scherm op de grond valt. Iedereen schrikt van de klap. Toine's mond valt open. Daar staat Fleur. Wat deed ze nou achter dat scherm?

'Fleur!' roept Debby. 'Fleur kan goed zingen!'
Toine ziet dat ze rood wordt.
'Kom op, Fleur,' zegt Kevin. 'Spring op het podium!'
'Ja, laat eens wat horen, Fleur!' roept Debby.
'Ik kan niet zingen,' zegt Fleur.
'Maakt niet uit,' zegt Kevin.
Toine vindt haar ineens zo lief. 'Je hoeft dit niet te doen,' zegt hij. Maar Debby duwt de microfoon al in Fleurs handen.
Je doet het! denkt Toine. Je gaat zingen... Wat ben je toch *cute*! Ook al zing je nog zo vals, het maakt me niks uit. De band begint te spelen en dan valt Fleur in. Wat is dit? Toine weet niet wat hij hoort. Fleur zingt prachtig! Het lijkt wel een droom. Dit is de stem die ze steeds hebben gezocht. Ze zou zo hun zangeres kunnen worden. Toine is niet de enige, hij merkt het ook aan zijn vrienden. Als Fleur is uitgezongen, beginnen ze te juichen. Toine staat daar maar, hij is helemaal verbluft. Debby staat op en loopt met een verbeten gezicht weg, maar Toine ziet dat niet. Jij bent het, denkt hij. Jij bent onze zangeres! Maar hij durft niks te zeggen. Het is uit. Straks lacht ze hem nog uit waar iedereen bij is.

Fleur lacht Toine niet uit. Na die avond van de repetitie groeten ze elkaar weer. Elke keer als Toine haar ziet, herinnert hij zich weer hoe mooi ze zong. Ze past perfect in de band. Pierre en John hebben het er ook steeds over. Tot nu toe heeft hij het gesprek steeds op iets anders gebracht als ze erover begonnen, want hoe zou dat voor hem zijn? Stel je voor dat ze een nieuw vriendje heeft en ze die meeneemt. Hij voelt dat hij dat niet aan kan. Daarvoor geeft hij nog te veel om haar. Misschien over een half jaartje, maar hoe verkoopt hij dat aan zijn vrienden? Hij is degene die het altijd over een zangeres heeft. Hij moet ook aan de band denken. Hij kijkt naar Fleur die de aula inloopt. Weer gaat er een rilling door hem heen. Ik kan het nooit, denkt hij. Misschien als ze het echt hebben uitgepraat en hij snapt waarom het zo is gegaan. Hij begrijpt bijvoorbeeld nog steeds niet waarom ze toen Debby op hem af gestuurd heeft. Ze had toch zelf kunnen zeggen dat ze niet verliefd genoeg was? Zal hij het haar vragen? Maar als hij de aula in komt, stapt Kevin op hem af.

'*Big troubles*. Melissa is weg. Ze zijn bang dat ze met die Jim mee is.'

Toine schrikt ook. Wat erg! Hoe moet dat voor Fleur zijn? Hij valt haar nu maar niet lastig met zijn stomme vraag.

10

Is dat Jordi? denkt Toine als hij langs het basketbalveld komt. Ja, hij ziet het goed. Jordi gebaart dat hij mee moet komen doen. Hij heeft er wel zin in. Als hij dichterbij komt, ziet hij Fleur ook staan. Hij lacht als ze hem ziet en Fleur lacht terug. De laatste tijd lachen ze weer naar elkaar.

Toine rent het veld op. Hij wil het niet, maar zijn ogen worden naar Fleur getrokken. Ze is ook zo mooi. Hoe ze daar rent, zo soepel. Alles is mooi aan haar. Zou hij dit nog ooit voor een ander kunnen voelen? Hij ziet dat Fleur ook naar hem kijkt. Toine voelt de spanning. Dat klopt toch niet? Het is uit!

Ik zal je eens wat laten zien, denkt Toine en hij gaat heel goed spelen. Het lukt hem ook nog, hij scoort.

'Dat is niet eerlijk,' roept Fleur. 'Toine is veel te lang.'

Fleur vangt de bal, gooit hem naar Kevin en loopt zichzelf vrij. Ineens is Toine niet meer zo verkrampt. Het lijkt wel of het ijs is gebroken tussen hen.

'En jij bent veel te snel,' lacht Toine.

Toine staat net naast Fleur als Jordi het spel stillegt omdat hij een telefoontje krijgt. Fleur begint zelfs tegen Toine te praten.

'Moet je niet naar Debby?' vraagt ze.

'Ik?' zucht Toine. 'Ik heb helemaal niks met Debby, behalve dat ik gestoord word van dat plakkerige gedoe van haar.'

Toe dan, zegt Toine tegen zichzelf. Vraag haar dan wat je zo graag wilt weten. 'Dat wilde ik je nog steeds vragen,' zegt Toine. 'Waarom heb je Debby eigenlijk naar me toe gestuurd toen het uit was?'

'Ik heb Debby nooit naar je toegestuurd,' zegt Fleur.

'Hè?' Toine kijkt haar stomverbaasd aan. 'En Debby zei...'

'En tegen mij zei ze...' Van opwinding beginnen ze door elkaar heen te praten. Maar ze maken hun zinnen niet eens af. Ineens weten ze wat er is gebeurd. Ze zeggen het alle twee tegelijk.

'Debby heeft tussen ons gestookt.'

Nu houdt niets Toine meer tegen. 'Fleur' fluistert Toine. 'Er is maar een meisje waar ik van hou en dat ben jij.'

'Voor mij is er ook maar een jongen,' zegt Fleur.

Toine is niet eens kwaad op Debby. Hij is zo blij dat alles nu duidelijk is. Ze houdt wél van me, denkt hij. Het kan hem niks schelen dat iedereen het ziet. Hij pakt Fleur vast en trekt haar mee naar het bankje naast het veld. Het voelt zo vertrouwd, alsof het nooit uit is geweest. Kevin roept dat ze verder gaan spelen, maar dat horen ze niet eens.

'*I love you*,' fluistert Toine en hij kust Fleur. 'Toen je daar zo mooi zong, toen wist ik het zeker, wij horen bij elkaar.'

Fleur heeft tranen in haar ogen. 'Ik ben zo gelukkig,' fluistert ze.

'Ik ook,' zegt Toine, 'En ik laat je nooit meer gaan, *megasuperstar*.' In een flits ziet hij zich samen met Fleur op het podium staan. Ik heb mijn droomzangeres gevonden, denkt hij. En hij kust haar lang en innig.